腎《じん》機能

自力で強化！

東北大学名誉教授
山形県立保健医療大学理事長・学長
上月正博 著

腎臓の名医が教える

最新 1分体操大全

文響社

はじめに

「クレアチニン値が高いといわれた」
「尿たんぱくが見つかった」
「腎《じん》機能（GFR）の低下を指摘された」
「このままでは人工透析になるといわれて不安」
「糖尿病や高血圧を長年患っていて心配」
「すねや顔が、近ごろよくむくむ」
「トイレがすごく近くて、尿の色が濃くなった」

本書を手にしたのは、今まさにこのような悩みを抱えている方々ではないでしょうか。これらはすべて「慢性腎臓《じんぞう》病」（CKD）を疑うべき症状や、CKDの患者さんが共通して抱く不安や心配事です。

腎臓は、ご存じのように、血液をろ過して不要になった老廃物をこし取り、尿として体外に排出する重要な臓器。体液の量やミネラルバランスを整え、体内環境を常に一定に保つ恒常性をもたらすのも、腎臓の重要な働きです。そして現在では、腎臓は、さまざまな情報を発信しながらいくつもの臓器の働きを調節していることが最新研究で解明され、健康長寿のカギを握る神秘の臓器として、世界中の研究者から熱い注目を集めています。

＊CKD: Chronic Kidney Disease（慢性腎臓病）の略

これほど重要な腎臓ですが、高齢化や生活様式の変化、糖尿病や高血圧など生活習慣病の増加を背景に患者数が急速に増えており、**推定患者数は1330万人**に上ります。ひと昔前まで、腎臓病といえば、「不治の病」と考えられていました。そのため、慢性腎臓病と診断されると、「仕事や趣味は続けられるのか」「経済的な負担が大きいのではないか」「家族に迷惑がかかるのではないか」「友人・知人からどう思われるだろうか」などの悩みが尽きませんでした。何よりも「自分はもう長く生きられないのではないか」という余命についての不安は、はかり知れないほどつらいものでした。

ひとたび腎臓病と診断されると、医師から「安静第一」を強いられて近い将来に末期腎不全となり、やがて人工透析や腎移植を余儀なくされる、というのが一般的なイメージだったかもしれません。人工透析を受けている患者さんといえば、体力・気力が衰えてだるさのせいで立っているのもやっと、という弱々しいイメージだったのではないでしょうか。

しかし、それはもう過去の話です。時代は変わり、**腎臓病の常識も180度転換**しました。研究も、治療も、そして透析技術も、飛躍的な進歩を遂げました。結果、**慢性腎臓病は、早期に発見して適切な治療やケアを行うことで、十分に改善できる病気になりました。その大きなカギを握るのが、かつて禁忌《きんき》とされていた「運動」でした。**

くわしくは本文で述べますが、慢性腎臓病の患者さんが**軽い運動を習慣化して行うと、**

クレアチニン値が低下する、尿たんぱくが減少・消失する、腎機能（GFR）が向上する、人工透析を回避・先延ばしできる、心臓病や脳卒中などの合併症を予防する、死亡率が下がり余命が延びるなど、数々の顕著な効果が得られることがわかってきたのです。

透析中の患者さんであっても、透析技術の進歩によって体のだるさなどの不調がずいぶんらくになるとともに、軽い運動の習慣化によって、体力・気力を保ち、仕事や趣味を思う存分に続けられ、毎日をアクティブに過ごせるように変わってきているのです。

その軽い運動こそ、私たち東北大学病院で開発し、今、日本のみならず世界各国で導入が進んでいる「腎臓リハビリテーション」（以下、略して「腎臓リハビリ」）です。

腎臓リハビリの運動療法の中身は、大半が、1回1分ほどでできて誰でも取り組みやすい簡単な体操や運動ばかりです。これらの「1分体操」を体調や病気の状態に応じて組み合わせてくり返し行うことで、心肺機能の向上や生活体力の維持・増強、腎機能の改善など、数々の健康効果が得られることがわかりました。

そうしたエビデンス（科学的根拠）が蓄積され、腎臓リハビリは現在、日本のみならず世界各国で導入され、日本ではそのリハビリに健康保険の適用を受けられるようになりました。また、腎臓リハビリテーション指導士制度が確立され、2021年1月現在、全国で447名の腎臓リハビリテーション指導士が活躍しています。さらに、「腎臓リハビリテーションガイドライン」が英訳されるとともに国際腎臓リハビリテーション学会が設立され、**腎臓リハビリは目下、腎臓病における世界最先端の研究分野**となっています。

何よりも一番大きいのが、不安と隣り合わせだった多くの患者さんが、腎臓リハビリによって人生を積極的に楽しめるようになったことでしょう。私の患者さんには、

- **慢性腎臓病を患いながら日本百名山の踏破を成し遂げ、35年間腎機能を維持しつづけている75歳の女性**
- **3ヵ月の腎臓リハビリで、ステージG3aの慢性腎臓病がG2に回復した71歳男性**
- **腎機能が16％しか残っていなかった状態から運動療法で18％に回復し、透析を回避しつづけている70歳女性**

などがいます。透析中の患者さんにも、腎臓リハビリの実践により、気力や体力が著しく回復し、人生の楽しみを再び取り戻せた方々がおおぜいいます。

慢性腎臓病に**安静は禁物**です。軽度の運動を習慣化することが、病気の進行を抑え、人工透析の導入を回避することにつながります。では、具体的に、どんな運動をどのくらい行えばいいのか、本書でくわしく紹介していくことにしましょう。

東北大学名誉教授　山形県立保健医療大学理事長・学長
上月正博

目次

腎臓リハビリ

序章

高いクレアチニン値を下げて腎機能の指標「GFR値」を改善！東北大学病院式「腎臓リハビリ」始め方ガイド

腎臓リハビリは腎臓を守る「腎臓活性ストレッチ」「腎臓体操」「腎臓活性ウォーキング」「らくらく筋トレ」の4種

かつては「安静第一」といわれていた慢性腎臓《じんぞう》病の治療においても、近年は「運動療法」が推奨され、その重要性がますますクローズアップされています。**東北大学病院から始まった「腎臓リハビリ」は運動・食事・薬物療法から、水分管理、教育や精神的サポートまでを含む包括的なプログラムですが、中心となるのはなんといっても「運動療法」です。実際、腎臓リハビリの運動療法をきちんと実行することで、「クレアチニン値」が下がり、腎機能の指標「GFR値」が改善する例は多数あります。**

では、なぜ運動をすると腎機能にいい影響があるのか説明しましょう。

腎臓のろ過機能を担う糸球体という毛細血管の塊には、「タコ足細胞」という細胞が張りつくように存在しています。名前のとおり足を伸ばしたタコに似た形をしており、それらの足が互いにからみ合ってフィルターとして働き、通常は分子の大きなたんぱく質を通しません。ところが、たんぱく質のとりすぎや高血

腎臓の構造とタコ足細胞

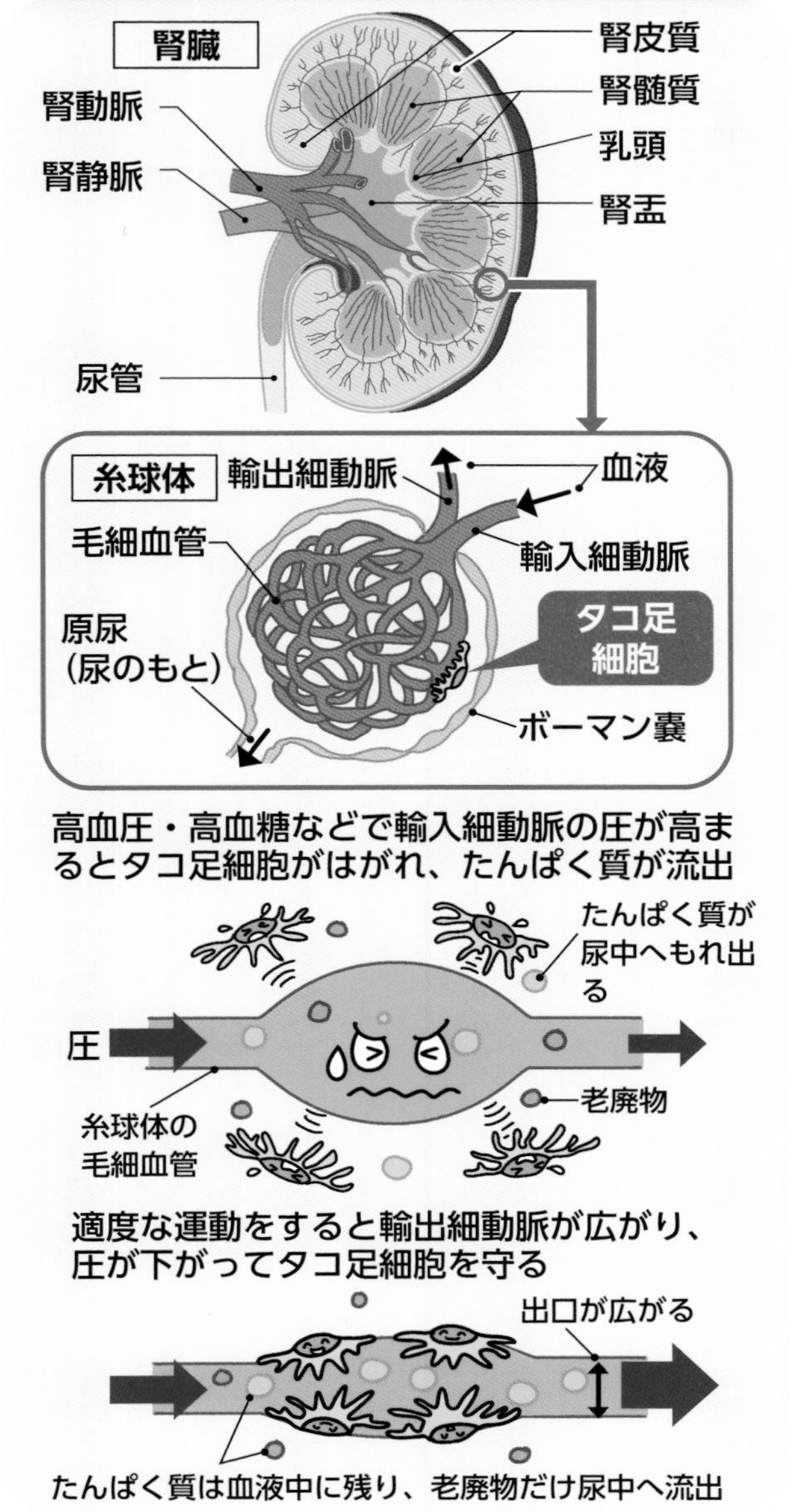

圧、高血糖などが続くと、糸球体の入り口の血管（輸入細動脈）に過剰な圧がかかって糸球体のタコ足細胞にも負担がかかり、糸球体からはがれてしまいます。すると、フィルターの目が粗くなり、本来ろ過されるべきたんぱく質などが尿中に流れ出てしまう**「たんぱく尿」**を引き起こすのです。

一方、適度な運動をすると、糸球体の出口の血管（輸出細動脈）が広がることがわかっています。出口が広がれば圧も下がるため、糸球体にかかる負担が減り、タコ足細胞がしっかりと足をからませ合ってフィルターの役割を果たすことができます。糸球体出口の血管を広げる作用はＡＣＥ阻害薬などの降圧薬にもありますが、適度な運動は、まさに薬と同じような働きをするのです。

さらに、運動をすると筋肉や心臓で血流が増え、血管を血液が勢いよく流れるさいの刺激によって、血管の内皮細胞からＮＯ《エヌオー》（一酸化窒素《ちつそ》）という物質が作られます。ＮＯには血管を広げて血圧を下げる働きがあるので、より効果的に糸球体にかかる圧を下げ、腎臓を守ることができると考えられます。

もう一つ、適度な運動を習慣として続けると、活性酸素を無害化する酵素（体内の化学反応を助ける物質）であるＳＯＤ*の働きがよくなります。活性酸素はほかの物質との反応性が高い酸素のことで、免疫力の強化や感染の防止などに重要な役割を果たしますが、増えすぎると老化やがんなどの生活習慣病を招くといわれています。ストレスや食べすぎなどで活性酸素が増えすぎると、糸球体の毛細血管を傷つけたり腎臓の血流を妨げたりして腎臓に悪影響を与えます。ところが、適度な運動によってＳＯＤの働きがよくなれば、活性酸素を減らし、腎臓を

＊SOD: Superoxide Dismutase＝スーパーオキシドディスムターゼ

守れると同時に、生活習慣病を予防・改善することもできるのです。

また、**「心腎連関」**といって、腎臓と心臓には深い関連があることがわかっており、適度な運動によって心臓の働きがよくなれば、腎臓の働きにもいい影響を与えます。

このように腎臓を守る効果が高い腎臓リハビリですが、ふだん運動習慣のない人にとっては「運動」と聞いただけで「きついのでは」「難しいのでは」とハードルが高く感じられるかもしれません。しかし、決してそうではありません。

ここでは「腎臓活性ストレッチ」「腎臓体操」「腎臓活性ウォーキング」「らくらく筋トレ」という4種類の腎臓リハビリの運動を紹介しましょう。いずれも心不全の患者さんでもできることを前提に厳選された運動なので、体力に自信のない人や高齢者でもらくに取り組めるでしょう（次ページの表参照）。

これら4つの運動は単独でも、高いクレアチニン値を下げて腎機能を改善に導く効果がありますが、組み合わせて行うことで、さらに多くの相乗効果が期待できます。17ページからの写真を使った説明を見ながら、無理のない範囲で少しずつ試してみてください。

自分に合った運動を習慣にすることで、腎臓を元気にしていきましょう。

腎臓リハビリの４種の運動

	内容	効果	頻度＊
17ページ 腎臓活性ストレッチ	• 抵抗を感じたり、ややきつく感じたりするところまで筋肉を伸ばす • 勢いをつけずにじんわりと筋肉や腱を伸ばす静的ストレッチ	• 体を温める • 筋肉や関節の動きがなめらかになる • ほかの運動のウォーミングアップに最適 • ウォーキングや筋トレの前には必ず行う	３～５回／週
30ページ 腎臓体操	• 屋内で行う軽い体操	• 継続して行うことで全身のコンディションを整える • 転倒予防 • ケガの予防 • 足腰を軽く鍛える	２～３回／週
38ページ 腎臓活性ウォーキング	• 中等度（ややきついと感じるくらい）の強度＊で行う歩行を 20 ～ 60 分 • 無理なら３～５分ずつ、こま切れでもいい ＊心拍数が安静時より20～30回増える程度で行う	• 心肺機能の向上 • 高血圧や糖尿病など生活習慣病の予防・改善 • 骨密度の増加 • 腎臓に酸素や栄養を送り強化する有酸素運動として、優れている • 足腰の筋肉を鍛える	３～５回／週
40ページ らくらく筋トレ	• 筋肉に軽い負荷を与えながら行う運動 ＊1RM（One Repetition Maximum＝最大挙上重量。１回だけ持ち上げられる重さのこと）の65～75％の負荷をかけて行う（10㌔を１回だけ持ち上げられる人の場合は6.5～7.5㌔）	• 運動不足を解消する • 筋肉量が増加する • 筋力が向上する • 日常の生活動作が向上する	２～３回／週

＊日本腎臓リハビリテーション学会『腎臓リハビリテーションガイドライン』より引用・改変

腎臓リハビリの第1は、寝たまま座ったまま全身をほぐして腎臓を守る「腎臓活性1分ストレッチ」

慢性腎臓《じんぞう》病の患者さんは、**体がむくみやすく、全身の血流が滞って体が硬くなりがち**です。そこで、まずは**「腎臓活性1分ストレッチ」**でゆったりと全身をほぐしましょう。

ここでは、ふだん運動不足の人でも寝たまま、座ったまま簡単にできる6つのストレッチを紹介します。シンプルな動きですが、腕・肩・太もも（表・裏）・ふくらはぎ・胸・背中と、**全身を効率よくストレッチ**できます。

腎臓リハビリの運動では「ひなまつり」を心がけよう！

腎臓リハビリ全体のポイント

- **ひ** 広い場所で
- **な** 長く行う 1つの動きに時間をかける
- **ま** マイペースで
- **つ** 「ツー」といいながら 息を止めない
- **り** リラックスして

腎臓活性1分ストレッチの主な目的

①全身の筋肉・関節・血管を柔軟にして、滞りがちな血流をよくする。
②運動の前に筋肉をウォーミングアップし、関節の可動域を広げて運動効率をアップさせる。
③意識して体を動かすことに慣れ、筋トレ中やウォーキング中の思わぬ事故やケガを防ぐ。

腎臓活性ストレッチ ①

寝たまま肩ストレッチ

1セット1分

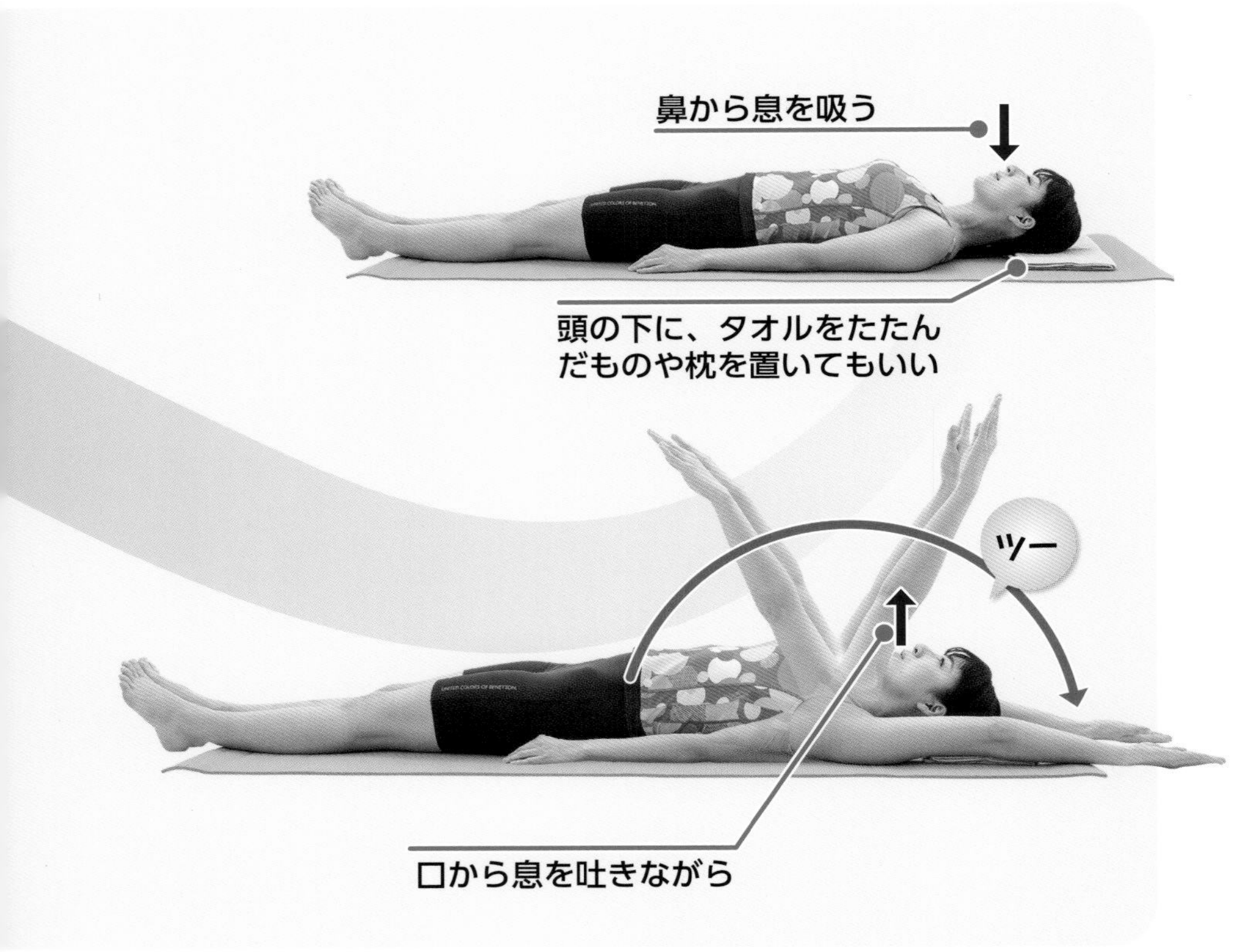
鼻から息を吸う
頭の下に、タオルをたたんだものや枕を置いてもいい
ツー
口から息を吐きながら

1. あおむけに寝る。手足は自然に伸ばす（頭の下に、タオルをたたんだものや枕を置いてもいい）。
2. 鼻からゆっくりと息を吸う。
3. 呼吸を止めないよう「ツー」といいながら、５秒かけて両腕を「ばんざい」するように上げる。

体操の効果 全身をスムーズに動かすのに不可欠な肩甲骨まわりや背中、腕の筋肉をほぐして、全身を動かしやすくする。

ばんざいしたまま10秒間キープ
鼻から息を
吸いながら
手のひらは上向き
❸〜❺を
3回くり返して
1セットで
約1分
腕はなるべく
耳に近づける

❹ 静かに呼吸しながら、ばんざいの姿勢を10秒間キープ。

❺ 鼻からゆっくりと息を吸いながら、5秒かけて両腕をもとの位置に戻す。

腎臓活性ストレッチ ②

寝たままもも裏ストレッチ

1セット1分

頭の下に、タオルをたたんだものや枕を置いてもいい
直角に立てる
足の裏が床から浮かないようにする

❶ あおむけに寝る（頭の下に、タオルをたたんだものや枕を置いてもいい）。手足は自然に伸ばす。

❷ 左足のひざを直角に立てる。
右足を上げたときにぐらつかないよう、足の裏を床にしっかりつける。

❸ ひざを軽く曲げながら右足を上げ、両手で太ももをつかむ。
呼吸を止めないよう「ツー」といいながら、5秒かけて右ひざを胸のほうへ引き寄せる。

体操の効果 衰えがちな太もも裏の大きな筋肉（ハムストリングス）とふくらはぎの筋肉を伸ばす。

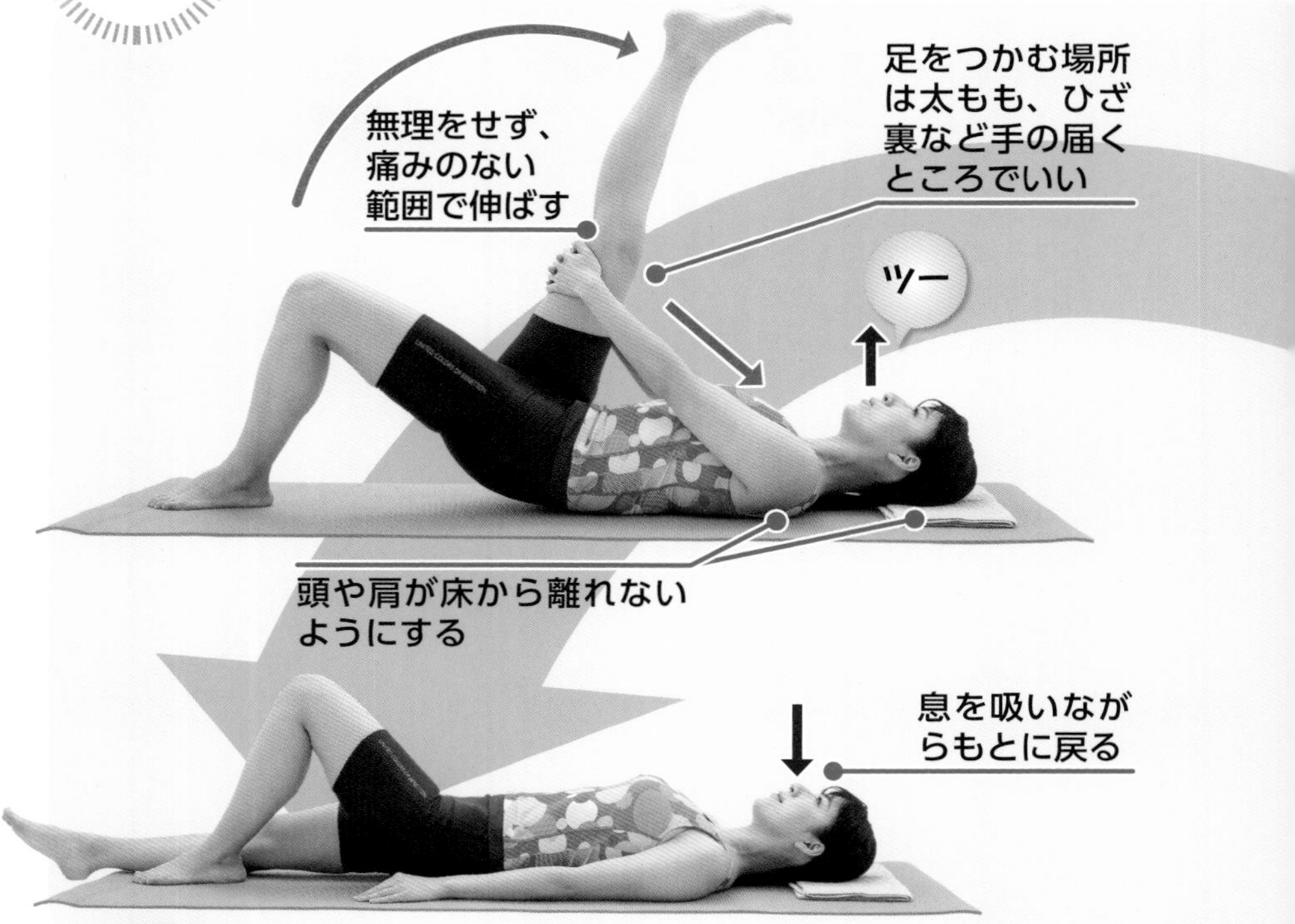
無理をせず、痛みのない範囲で伸ばす
足をつかむ場所は太もも、ひざ裏など手の届くところでいい
ツー
頭や肩が床から離れないようにする
息を吸いながらもとに戻る

❷～❺を左右2回ずつくり返して1セットで約**1分**

❹ 静かに呼吸をしてもも裏が伸びる感覚を味わいながら、そのまま10秒キープ。

❺ 鼻から息を吸いながら、ゆっくりと❷の姿勢に戻る。

❻ ❷～❺を左足でも同様に行う。

腎臓活性ストレッチ ③

寝たままお尻ストレッチ

1セット 1分

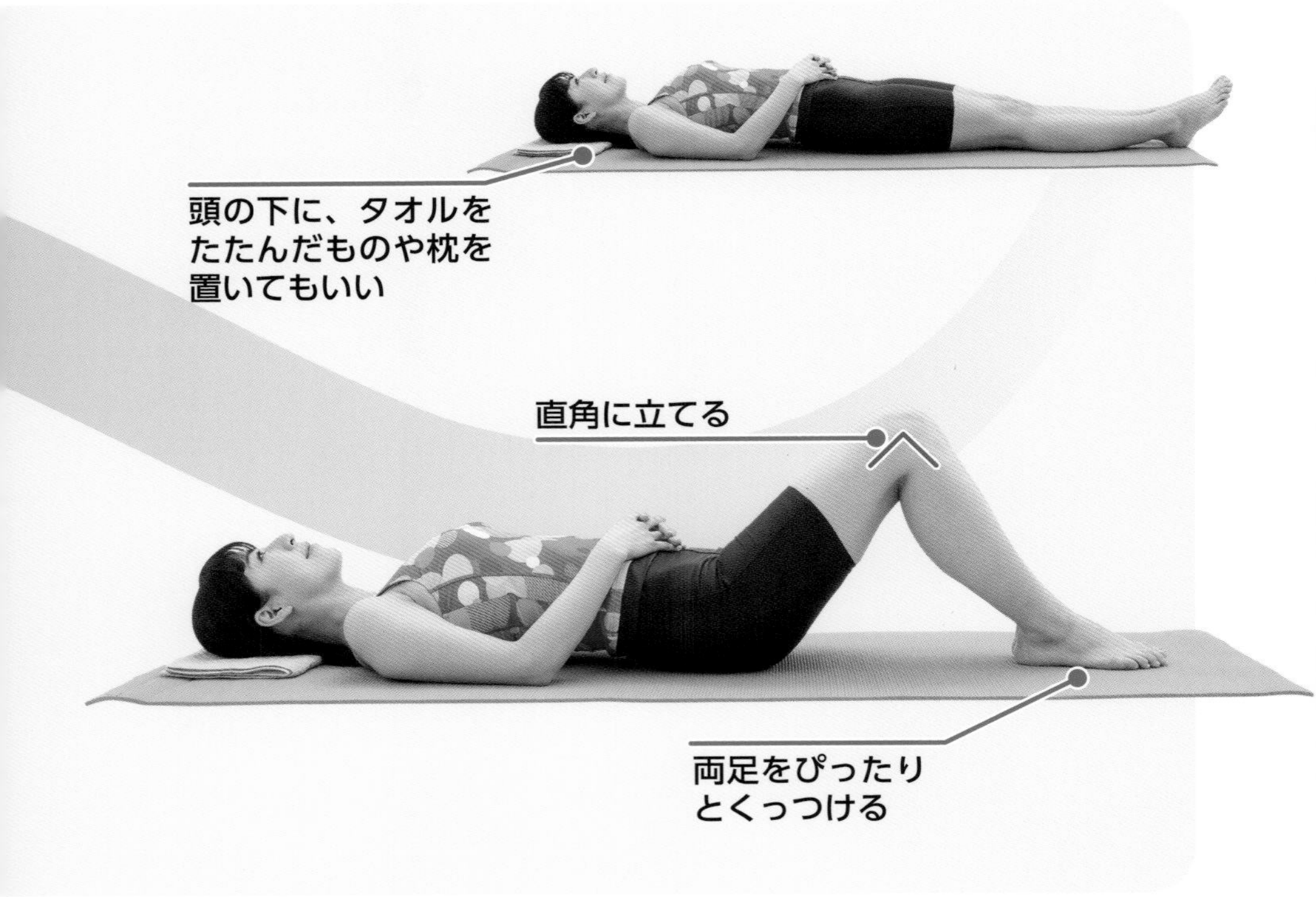
頭の下に、タオルを
たたんだものや枕を
置いてもいい
直角に立てる
両足をぴったり
とくっつける

❶ 両足をそろえてあおむけに寝る（頭の下に、タオルをたたんだものや枕を置いてもいい）。
両手はおなかの上で組む。

❷ 両足のひざを直角に立てる。

体操の効果 お尻の大きな筋肉を伸ばす。股関節の動きをなめらかにして、運動機能を高める。

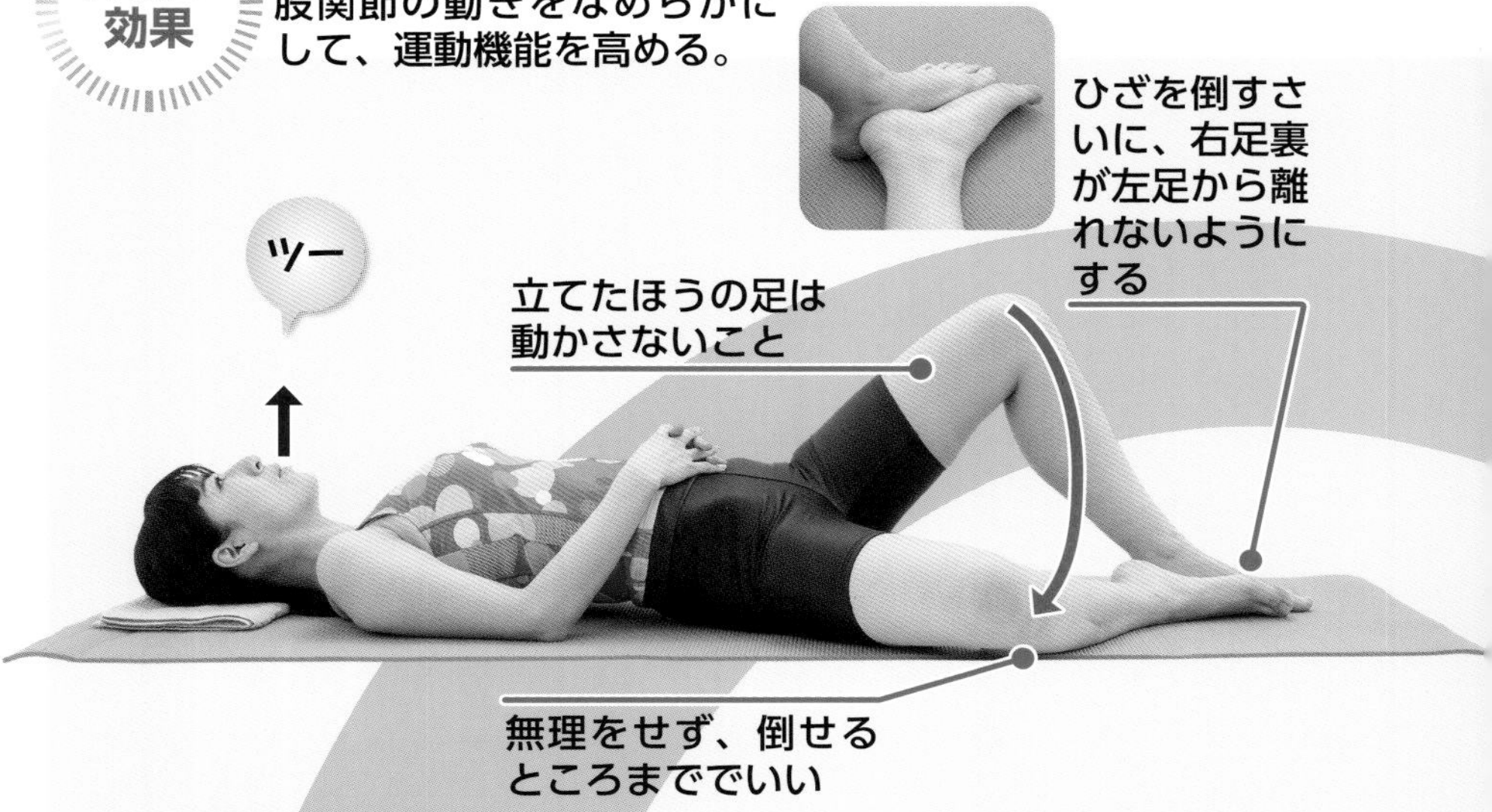
ひざを倒すさいに、右足裏が左足から離れないようにする
ツー
立てたほうの足は動かさないこと
無理をせず、倒せるところまででいい

息を吸いながらもとに戻る

❷〜❹を2回くり返して1セットで約1分

3 呼吸を止めないよう「ツー」といいながら、5秒かけて右ひざをゆっくりと外側へ倒す。静かに呼吸をしながら、そのまま10秒キープ。

4 鼻から息を吸いながら、ゆっくりと❷の姿勢に戻る。

5 ❷〜❹を左足でも同様に行う。

腎臓活性ストレッチ ❹

寝たまま前ももストレッチ

1セット1分

無理をせず、痛みのない範囲で伸ばす
胸が床から離れないようにする

❶ うつぶせになり、両手両足を伸ばす（あごの下に、タオルをたたんだものを置いてもいい）。

❷ 右ひざを曲げ、右手で足先をつかんで、かかとをお尻に近づけるように引っぱる。

❸ 静かに呼吸しながら、太ももの前面が伸びているのを感じる。そのまま 20 ～ 30 秒間キープ。

❹ ゆっくりと❶の姿勢に戻る。❷～❸を左足でも同様に行う。

体操の効果 太もも前側の大きな筋肉やすねの筋肉を伸ばす。

横向き寝で行う場合

うつぶせがつらい場合は、横向きで行ってもいい。

❷〜❹を左右の足で行って1セットで約1分

手が足に届かない場合

タオルやゴムバンド、ベルトなどを足に巻き、それを手で引っぱるといい。

座ったまま胸ストレッチ

1セット1分

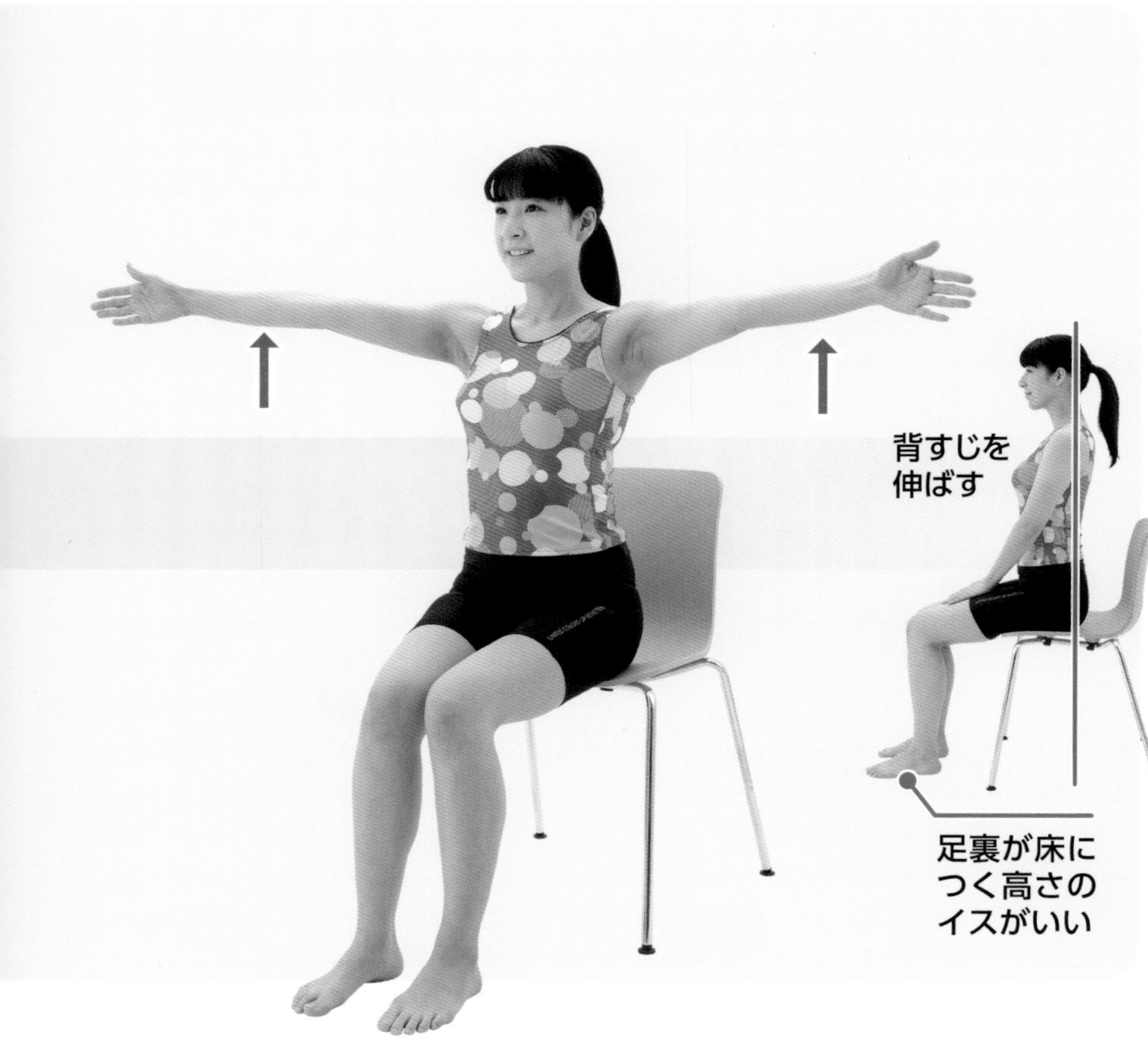
背すじを
伸ばす
足裏が床に
つく高さの
イスがいい

❶ イスに腰かける。背もたれがあるイスの場合は、背もたれから背中を離し、背すじを伸ばす。

❷ 両手を肩の高さまで上げ、手のひらを前に向ける。

体操の効果
前かがみ姿勢などで萎縮しやすい胸の筋肉を伸ばして、姿勢をよくする。肺の機能を高めて酸素の取り込みを増やす。

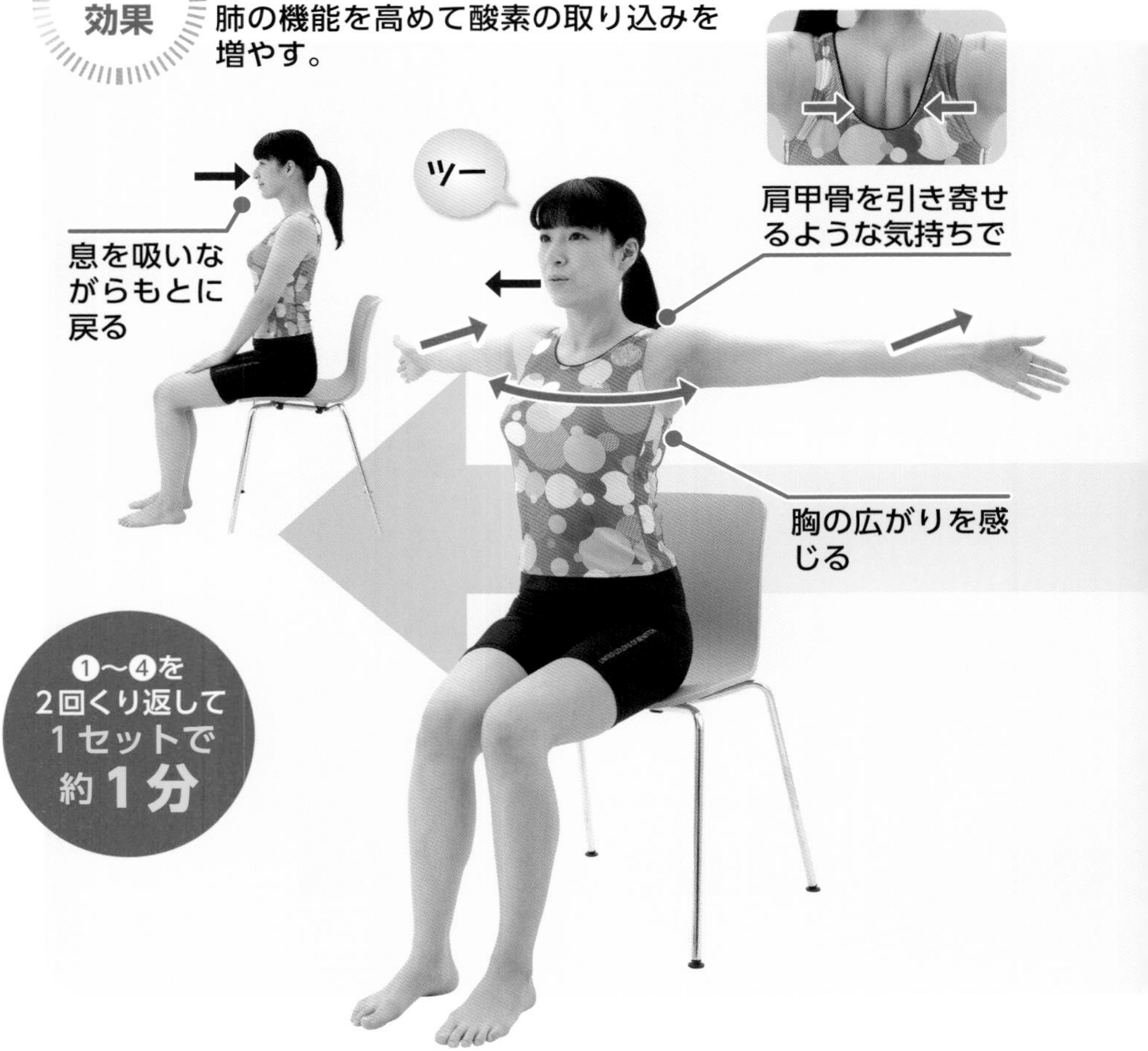
ツー
肩甲骨を引き寄せるような気持ちで
息を吸いながらもとに戻る
胸の広がりを感じる
❶〜❹を2回くり返して1セットで約1分

❸ 呼吸を止めないよう「ツー」といいながら、ゆっくりと5秒かけて両腕を後ろへ引く。胸が広がっているのを感じながら、静かに呼吸しつつ、そのまま20～30秒間キープ。

❹ 鼻から息を吸いながら、❶の姿勢に戻る。

座ったまま背中ストレッチ

1セット 1分

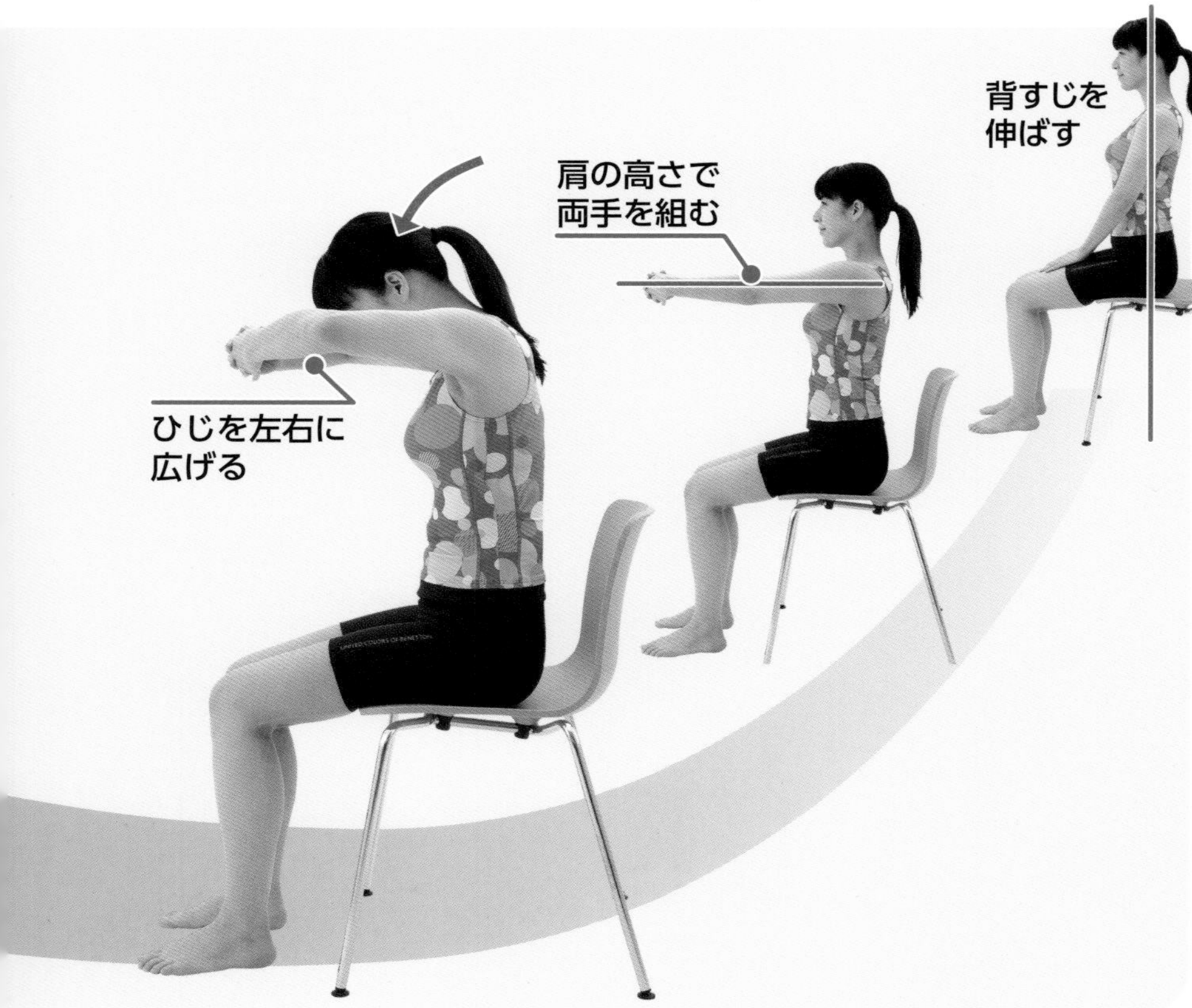

1. イスに腰かける。背もたれがあるイスの場合は、背もたれから背中を離し、背すじを伸ばす。

2. 両腕を前に伸ばして肩の高さまで上げ、両手の指を組む。

3. ひじを左右に広げ、両腕の間に顔を入れるようにする。

体操の効果 前かがみ姿勢などで硬直しやすい背中の筋肉を伸ばす。肺の機能を高めて酸素の取り込みを増やす。

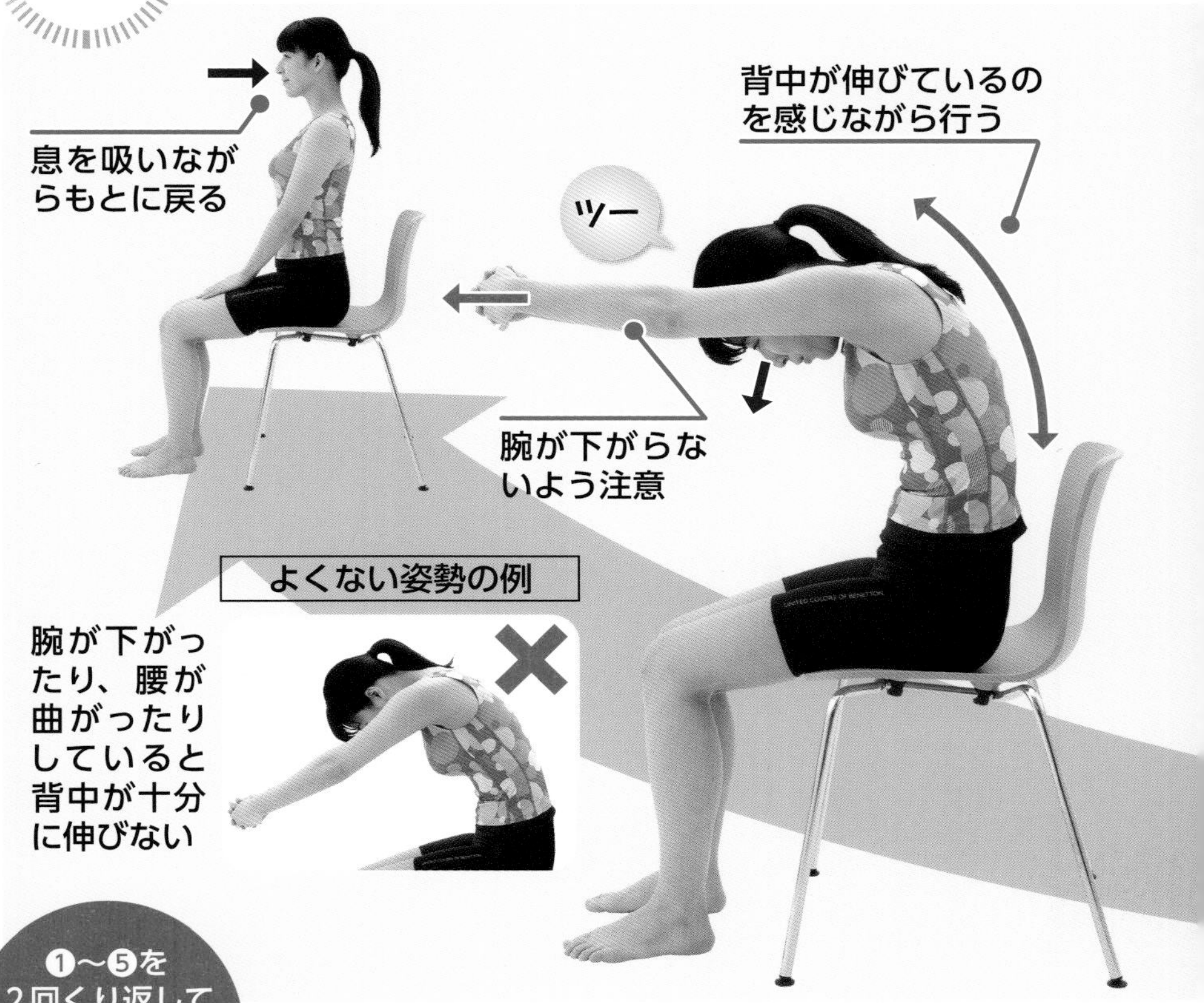
息を吸いながらもとに戻る
背中が伸びているのを感じながら行う
ツー
腕が下がらないよう注意
よくない姿勢の例
腕が下がったり、腰が曲がったりしていると背中が十分に伸びない

❶〜❺を2回くり返して1セットで約1分

4 呼吸を止めないよう「ツー」といいながら、5秒かけてゆっくりと両腕を前方へ押し出す。静かに呼吸しながら、背中が気持ちよく伸びるのを感じる。そのまま20〜30秒間キープ。

5 鼻から息を吸いながら、❶の姿勢に戻る。

腎臓リハビリの第2は、簡単な室内軽運動「腎臓1分体操」で、腎臓に新鮮な酸素と栄養を送り込み腎細胞を守る

体を動かすことに少し慣れたら、室内でできる「腎臓《じんぞう》1分体操」を始めてみましょう。紹介する4つの体操はいずれも1〜2メッツ*程度のごく軽い運動です。メッツは運動の強度を表す単位で、安静時を1メッツとしてエネルギーを何倍消費するかを示します。例えば、着替えやゆっくりした歩行は2メッツ程度です。

最初の3つの体操は主に足を使います。第2の心臓といわれるふくらはぎや、大きな筋肉が集まる太ももやお尻《しり》を動かすので、大きな運動効果が得られます。最後の1つは体を起こした状態で腕から肩、背中、胸の筋肉を動かすことで、血流を体のすみずみに巡らせ、腎臓に新鮮な酸素や栄養を送り、腎臓の細胞を守ることに役立ちます。

腎臓1分体操の主な目的

①意識して体を動かすことに慣れ、筋トレ中やウォーキング中の思わぬ事故やケガを防ぐ。

②足腰を鍛え、全身のコンディションを整えて、筋トレやウォーキングの腎臓活性効果を高める。

③腎臓に酸素や栄養を行き渡らせ、腎臓の細胞を守る。

＊メッツ＝METs（Metabolic Equivalents＝代謝当量）

腎臓1分体操 ❶

かかとの上げ下ろし

1セット 1分

体操の効果 ふくらはぎの筋肉の収縮と弛緩によるポンプ作用で血流をよくし、全身に新鮮な酸素や栄養を送り、腎臓の働きを高める。

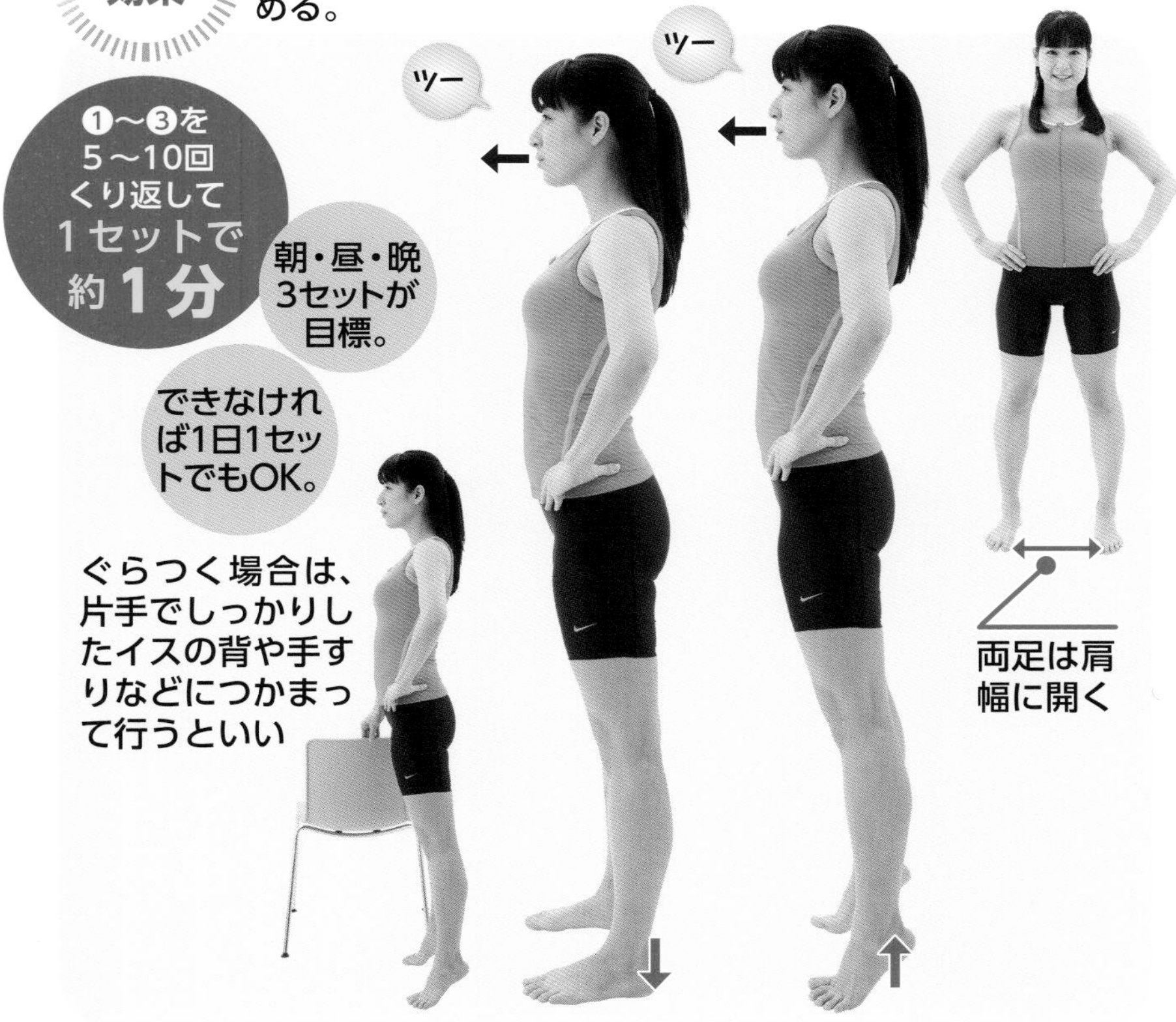
❶〜❸を
5〜10回
くり返して
1セットで
約1分
朝・昼・晩
3セットが
目標。
できなければ1日1セットでもOK。
ツー
ツー
ぐらつく場合は、片手でしっかりしたイスの背や手すりなどにつかまって行うといい
両足は肩幅に開く

❶ 両手を腰に当て、両足を肩幅に開いて立つ。

❷ 呼吸を止めないよう「ツー」といいながら、5秒かけてかかとをゆっくり上げる。

❸ かかとを上げたところで息を吸い、呼吸を止めないよう「ツー」といいながら、5秒かけてかかとを下げる。

足上げ

1セット1分

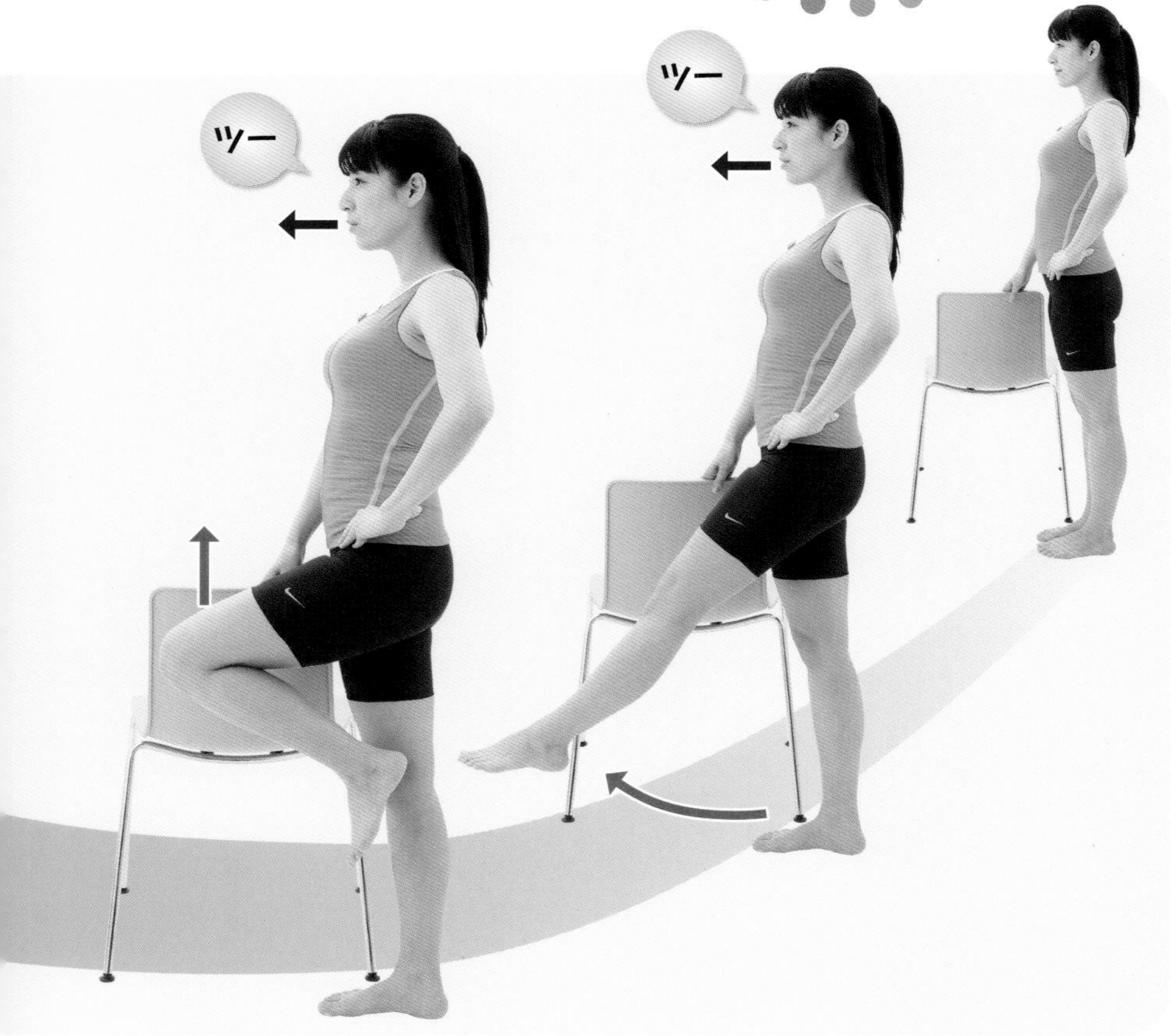

1. しっかりしたイスの背や手すりなどに、片手でつかまって立つ。
2. 呼吸を止めないよう「ツー」といいながら、５秒かけて左足を前にゆっくりと振り上げる。
3. いったん息を吸い、呼吸を止めないよう「ツー」といいながら、５秒かけてゆっくりとひざを曲げ、太ももを持ち上げる

体操の効果 股関節やひざ関節を柔軟にするとともに、下半身の大きな筋肉を動かして全身に新鮮な酸素や栄養を送り、腎臓の働きを高める。片足で立つことで足の筋肉や骨を強くする。

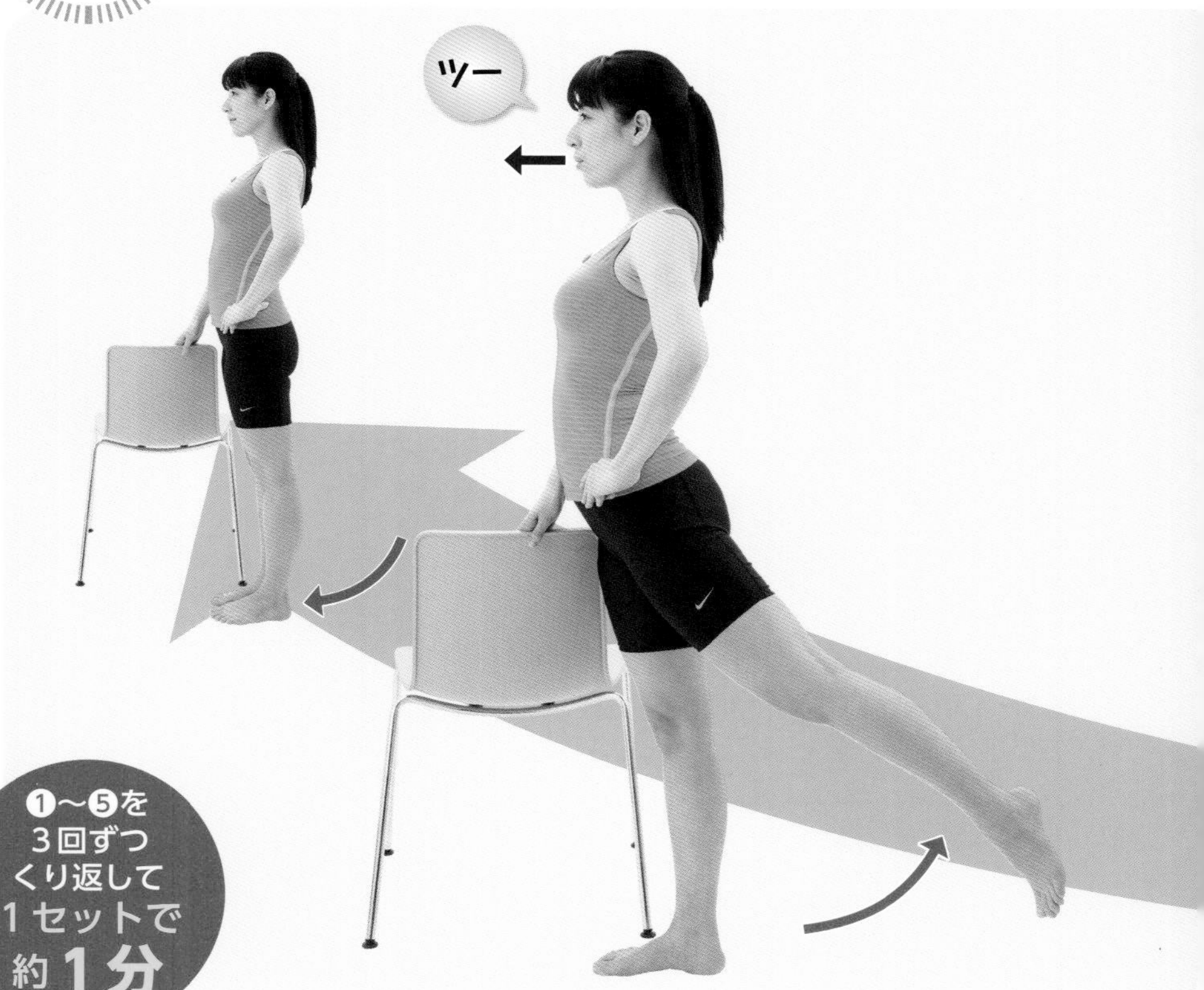

❶〜❺を3回ずつくり返して1セットで約1分

朝・昼・晩3セットが目標。

できなければ1日1セットでもOK。

4 いったん息を吸い、呼吸を止めないよう「ツー」といいながら、曲げた足を5秒かけてゆっくり下ろし、後ろに振り上げる。

5 ❶の姿勢に戻る。

6 右足も同様に行う。

中腰までスクワット

1セット1分

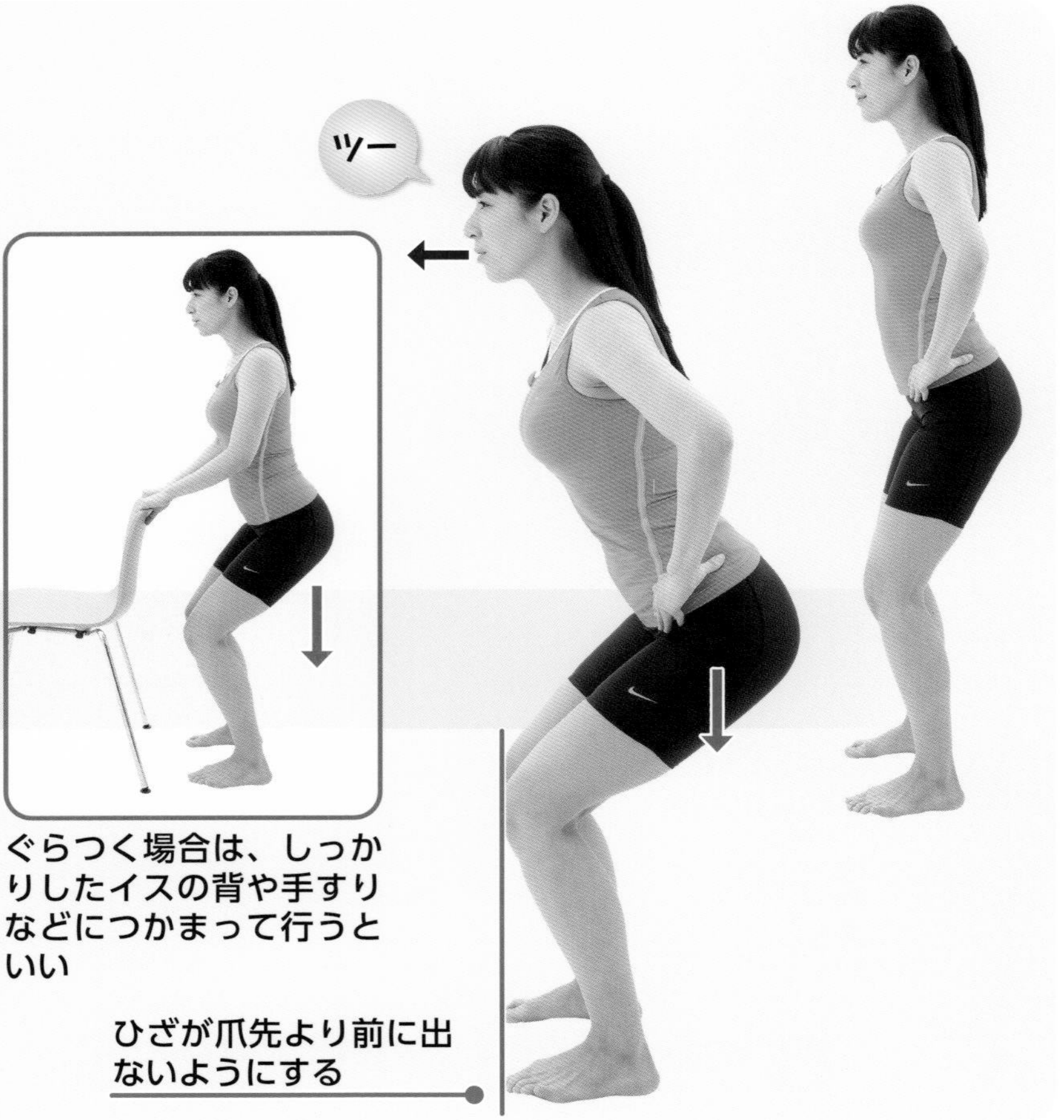

ぐらつく場合は、しっかりしたイスの背や手すりなどにつかまって行うといい

ひざが爪先より前に出ないようにする

1. 両手を腰に当てて両足を肩幅に開き、浅い中腰の姿勢で立つ。爪先は少し外側に向ける。

2. 呼吸を止めないよう「ツー」といいながら、5秒かけて中腰まで腰を落とす。

体操の効果 太ももやふくらはぎなど歩行に必要な下半身の筋肉を鍛え、血流をよくして全身に新鮮な酸素や栄養を送り、腎臓の働きを高める。体のバランスを取ることで体幹筋（胴体の筋肉）を鍛える。

よくない姿勢の例

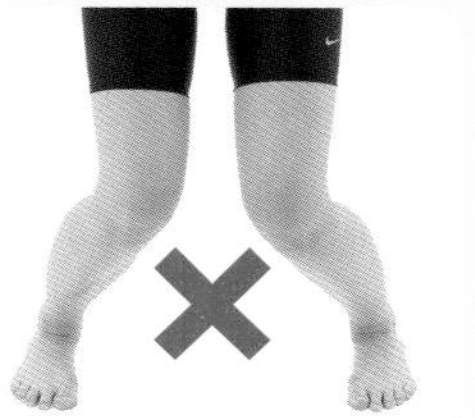

ひざが爪先より内側に入っている

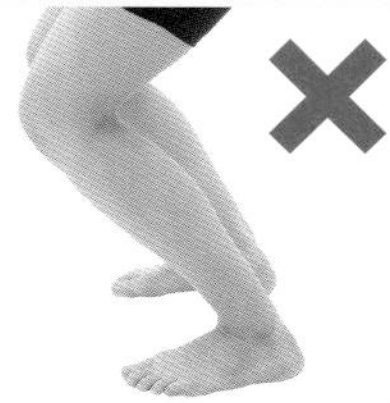

ひざが爪先より前に出ている

❶〜❸を3回くり返して1セットで約1分

朝・昼・晩3セットが目標。

できなければ1日1セットでもOK。

❸ 鼻から息を吸いながら、5秒かけてひざを伸ばし、❶の姿勢に戻る。

ばんざい

1セット1分

1. 両足を肩幅に開いて立ち、両手は太もものわきに添える。
2. 鼻からゆっくりと息を吸う。
3. 呼吸を止めないよう「ツー」といいながら、5秒かけて両腕を「ばんざい」するように上げる。

体操の効果
肩まわりの筋肉を動かし、前かがみ姿勢などで萎縮しやすい胸や背中の筋肉を伸ばす。全身に新鮮な酸素や栄養を送り、腎臓の働きを高める。

手のひらは
正面に向ける
ツー
腕はなるべく
耳に近づける

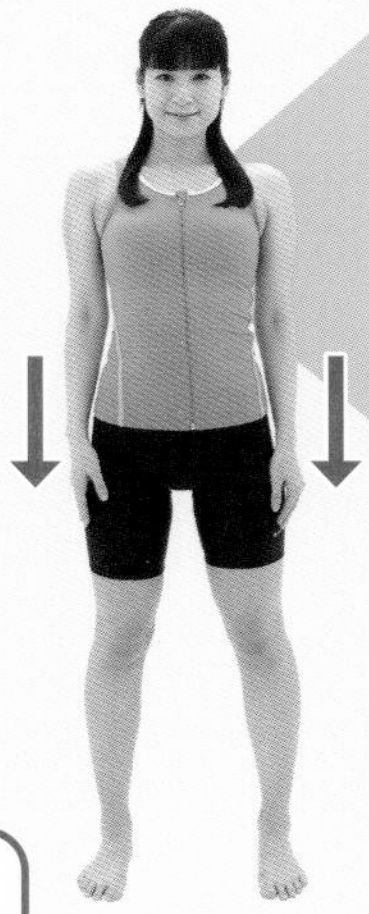

❷〜❹を
3回くり返して
1セットで
約**1分**

朝・昼・晩
3セットが
目標。

できなければ1日1セットでもOK。

ふらつく場合はイスに座って行ってもいい。

❹ いったん息を吸い、呼吸を止めないよう「ツー」といいながら、5秒かけて両腕をもとの位置に戻す。

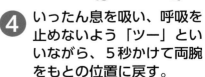

1分間に20〜30回増までの心拍で行う「腎臓活性らくらくウォーキング」が絶好に、週3〜5回の有酸素運動が有効で、

腎臓《じんぞう》リハビリでぜひ行ってほしい有酸素運動は**「腎臓活性らくらくウォーキング」**です。ウォーキングを行うと、足腰の筋肉が収縮と弛緩《しかん》をくり返すことにより、ポンプのように働いて、全身の血流がよくなります。**運動後は腎臓にも酸素や栄養が行き渡りやすくなり、腎臓の強化につながります。**

1分間の心拍数*が安静時より20〜30回増える程度の、比較的らくなペースで行うといいでしょう。例えばふだんの心拍数が1分間に70回の人なら、90〜100回になるくらいのペースで、1日20〜60分のウォーキングを週に3〜5回行えば十分です。また、一度に長く歩けない場合でも、**1回5〜10分のウォーキングを何回か行って、1日の合計が20〜60分になればOK**です。

ただし、最適な運動量は病状や体力によって異なるので、必ず主治医に相談してからウォーキングを始めるようにしてください。もしも医師に許可された範囲内でもきついと感じるようなら、最初は1回3〜5分の散歩から始めてもいいのです。慣れてきたら徐々に時間や回数を増やしていくようにしましょう。

＊腕時計で時間を計りながら脈を数えたり、スマートウォッチを利用して心拍数を測ったりするといい。

ウォーキングの主な目的

① 腎臓の糸球体出口の血管を広げてタコ足細胞を守り、血液をろ過する腎臓の働きを高める。

② 筋肉や心臓の血流を増やして血管を広げるNO（一酸化窒素）を作り、高い血圧を下げて腎臓を守る。

③ 腎臓に悪影響を及ぼす活性酸素を無害化する酵素の働きをよくする。

あごを引き、視線は正面少し前に
背すじを伸ばし、肩の力を抜いて、やや前傾姿勢で
胸を張る
こまめな水分補給を欠かさない
軽くこぶしを握りわきを締めて腕は前後に大きく振る
歩幅はできるだけ広く取る
ひざを伸ばす
かかとで着地し爪先でけり出す

【目標】
週3～5回
1回につき
20～60分

1分間の心拍数が安静時より20～30回増える程度の強度で行う。

重要ポイント

ウォーキングを始めるときは、必ず主治医に相談して、適切な運動量を決めてから行う。

脱水になると腎臓や糸球体の細胞がダメージを受けるので、こまめに水分補給をすること。

体調が悪いときは無理をしないこと。

医師に許可された範囲内でもきついと感じるようなら、1回3～5分の散歩から始めるといい。

スマートウォッチなどで心拍数を測ると便利

腎臓リハビリの第4

に、週2～3回の「らくらく筋トレ」もやれば万全で、腎臓病への抵抗力がつき全身に元気が戻ってくる

慢性腎臓《じんぞう》病の患者さんは運動不足から筋肉が落ちやすく、身体機能が低下するサルコペニア*、さらに虚弱な状態になるフレイル*に注意が必要です。病気に対する抵抗力が弱まり、腎臓病が悪化する恐れがあるからです

しかし、幸いなことに、何歳になっても運動で筋肉をつけることは可能です。ただし、激しい運動は交感神経（心身が緊張状態にあるときに働く神経）を高ぶらせ、腎臓の血管が強く収縮して腎機能に悪影響を与えます。

「らくらく筋トレ」なら、特別な道具は使わず、自分の体重だけを利用して、腎臓に無理なく腕・背中・おなか・お尻《しり》・太ももや足など、**全身の筋肉を鍛えることができます**。

らくらく筋トレの主な目的

①腎臓に酸素や栄養を行き渡らせ、腎臓の細胞を守る。

②全身の筋肉量を増やし、病気に対する抵抗力をつける。

③日常生活動作をらくにし、慢性腎臓病の治療に前向きに取り組む体力をつける。

筋トレの重要ポイント

筋トレは同じ種目を連日続けて行わない。

運動によって傷んだ筋線維は、その後 24 時間の間に修復され、その過程で強くなっていくため、1日以上間を置く。

＊サルコペニア（Sarcopenia）：加齢や病気で筋肉量が減少して身体機能が低下した状態
＊フレイル（Frailty）：筋力や精神面を含む活力が低下した虚弱状態

らくらく筋トレ ①

壁プッシュ

1セット約1分

体操の効果 腕・胸・肩の筋肉を鍛え、腎臓病への抵抗力をつける。

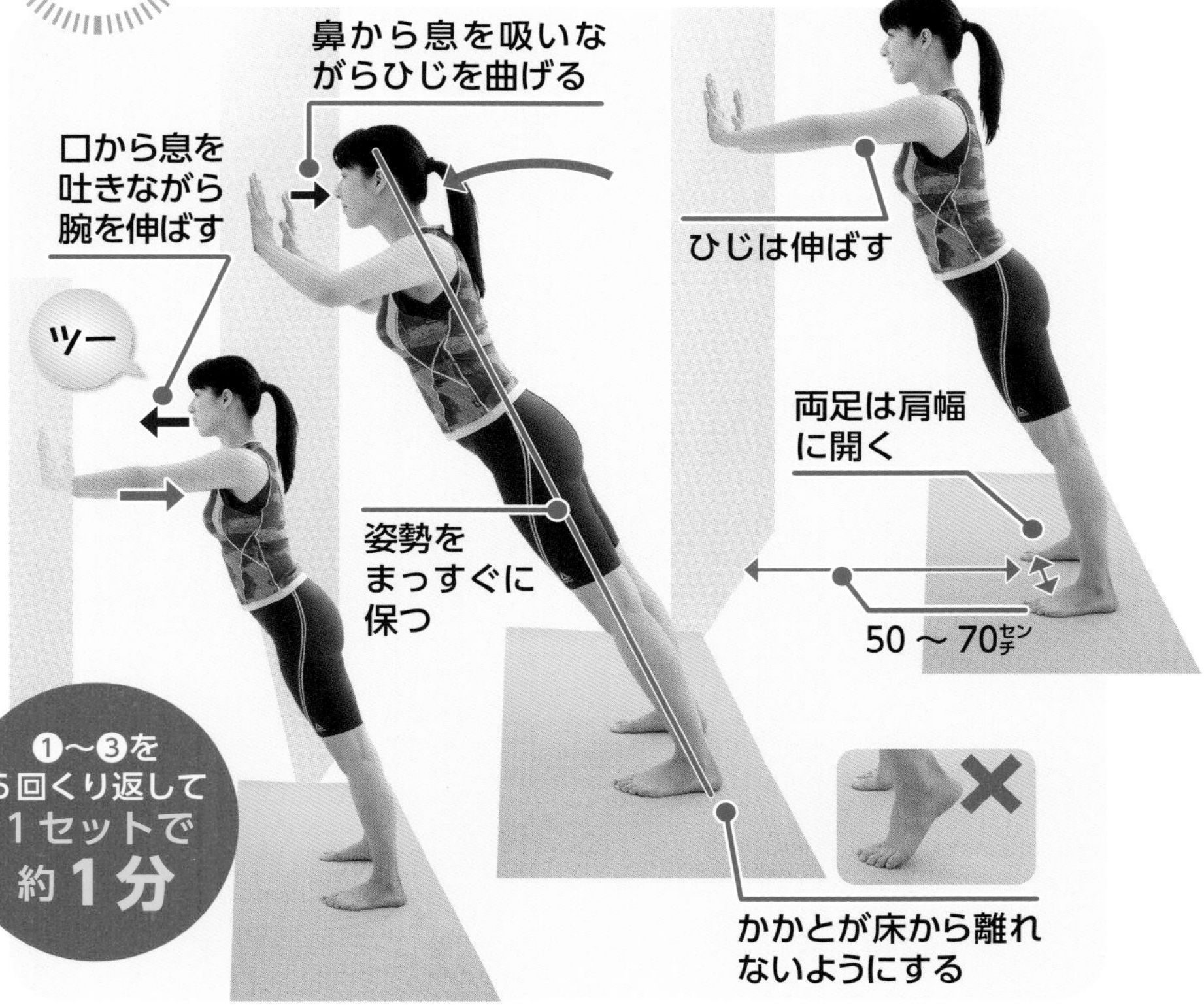
鼻から息を吸いながらひじを曲げる
口から息を吐きながら腕を伸ばす
ツー
ひじは伸ばす
両足は肩幅に開く
姿勢をまっすぐに保つ
50～70センチ
かかとが床から離れないようにする
❶～❸を5回くり返して1セットで約1分

❶ 壁に向かい、両足を肩幅に開いて立つ。両腕を肩の高さまで前に上げ、壁に寄りかかるように両手のひらをつく。

❷ 鼻からゆっくりと息を吸いながら、5秒かけて両ひじを曲げ、上体を壁に近づけ、1秒キープ（反動をつけないよういったん止まる）。

❸ 呼吸を止めないよう「ツー」といいながら、5秒かけて腕を伸ばし、❶の姿勢に戻る。

息が続かない場合は、途中で息つぎしてもいい。息を止めないことが大切。

らくらく筋トレ ②

アームレッグクロスレイズ
背筋そらし

1セット1分

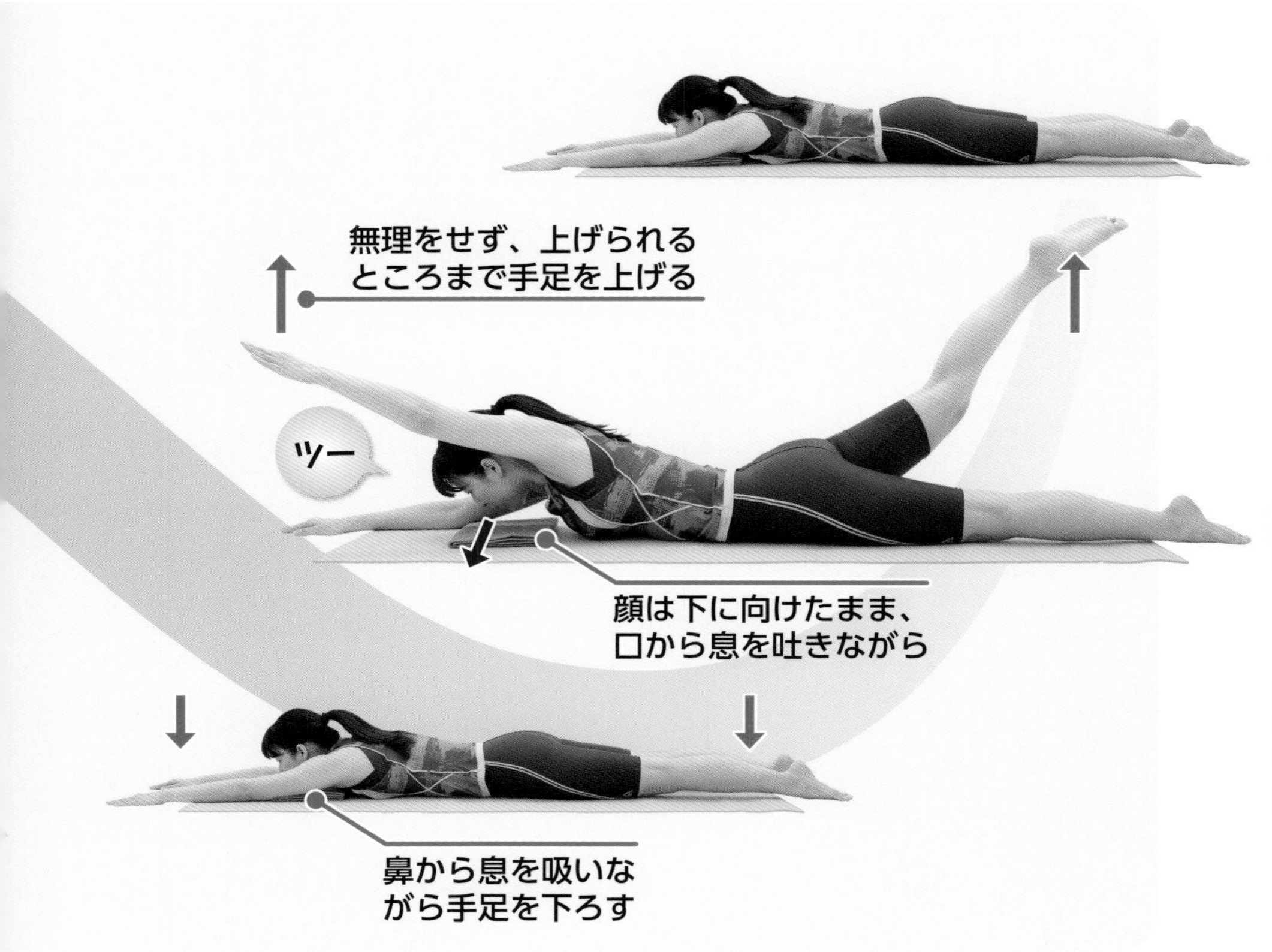
無理をせず、上げられるところまで手足を上げる
ツー
顔は下に向けたまま、口から息を吐きながら
鼻から息を吸いながら手足を下ろす

❶ うつぶせになり、両手両足を伸ばす（あごの下に、タオルをたたんだものを置いてもいい）。

❷ 呼吸を止めないよう「ツー」といいながら、５秒かけて左手と右足を持ち上げる。そのまま１秒キープ（いったん止める）。

❸ 鼻からゆっくりと息を吸いながら、５秒かけて❶の姿勢に戻る。

体操の効果

姿勢を保つのに必要な体幹筋（胴体の筋肉）を鍛えると同時に、足や腕を動かして全身に新鮮な酸素や栄養を送り、腎臓の働きを高める。

顔は下に向けたまま、
口から息を吐きながら
ツー
鼻から息を吸いながら手足を下ろす

効力アップ法

慣れてきたら、四つばいの姿勢で同様の動きを行うとより効果的。顔は下に向け、おなかを引っ込めるように力を入れる。

壁に体を沿わせると安定しやすい。

❷～❺を3回くり返して1セットで約1分

4 呼吸を止めないよう「ツー」といいながら、5秒かけて右手と左足を持ち上げる。そのまま1秒キープ。

5 鼻からゆっくりと息を吸いながら、5秒かけて❶の姿勢に戻る。

息が続かない場合は、途中で息つぎしてもいい。息を止めないことが大切。

らくらく筋トレ ③

腹筋を鍛える
レッグレイズ

1セット1分

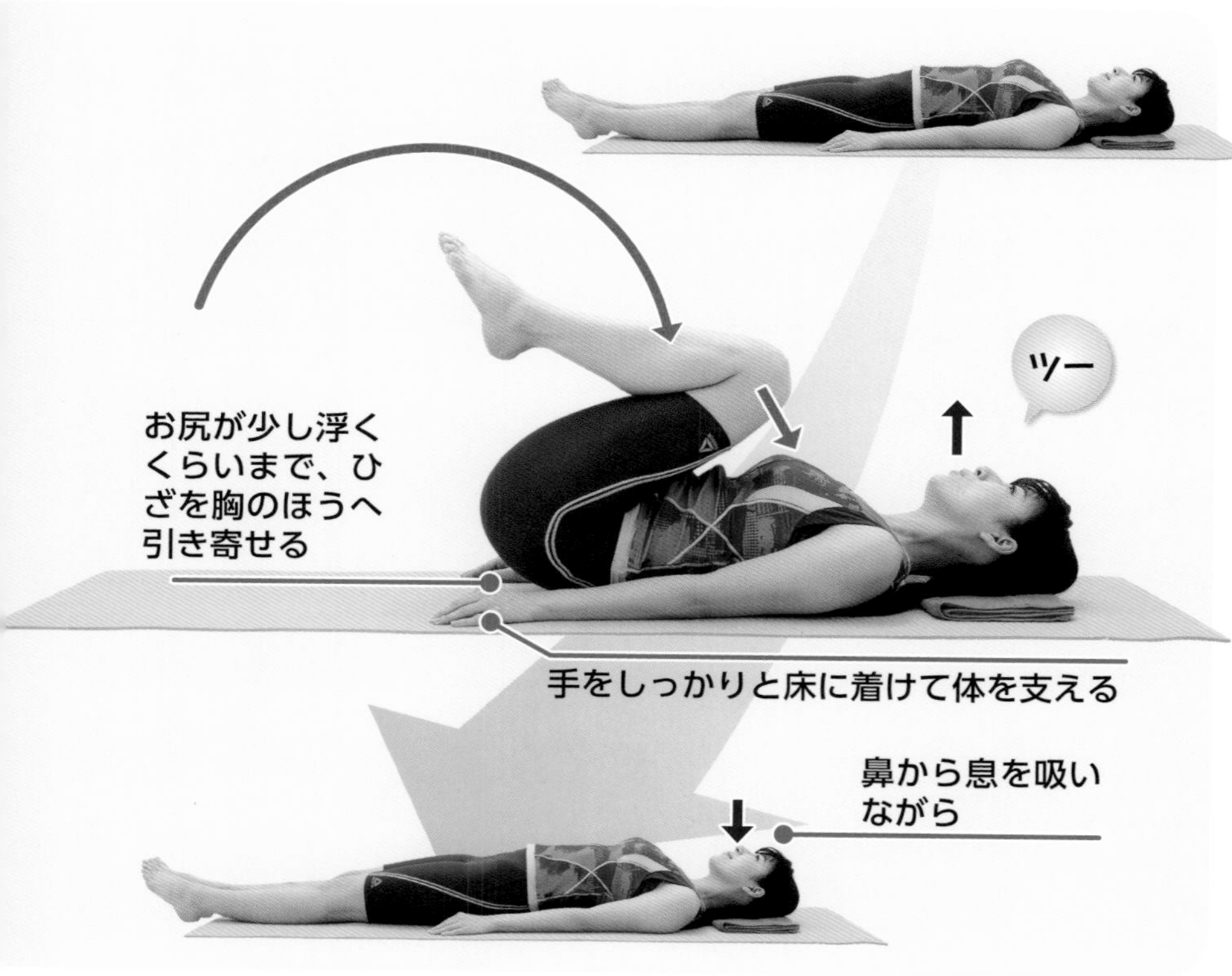
ツー
お尻が少し浮くくらいまで、ひざを胸のほうへ引き寄せる
手をしっかりと床に着けて体を支える
鼻から息を吸いながら

❶ 両足を肩幅に開き、あおむけに寝る（頭の下に、タオルをたたんだものや枕を置いてもいい）。

❷ 呼吸を止めないよう「ツー」といいながら両ひざを曲げ、5秒かけて胸のほうへ引き寄せる。そのまま1秒キープ。

❸ 鼻から息を吸いながら、ひざを5秒かけて伸ばし、❶の姿勢に戻る。

息が続かない場合は、途中で息つぎしてもいい。息を止めないことが大切。

体操の効果　腹筋を鍛えると同時に、歩行に必要な足を持ち上げるための筋肉（腸腰筋）も鍛える。

効力アップ法

慣れてきたら、両足を床から浮かせて行うとより効果的。
❸で両足を床に下ろさず、かかとが床につく直前で止め、そのまま続けて両ひざを曲げて、胸のほうへ引き寄せる。

両足を床につけずに再びひざを曲げる

❶～❸を5回くり返して1セットで約1分

らくらく筋トレ④

お尻を鍛える バックキック

1セット1分

1 壁を右にして立ち、壁に右手をついて背すじを伸ばす。左手は腰に当てる。

2 呼吸を止めないよう「ツー」といいながら、5秒かけて左ひざを腰の高さまで持ち上げる。

体操の効果 歩行に必要なお尻の筋肉を鍛えるとともに、足を持ち上げるための筋肉も鍛える。

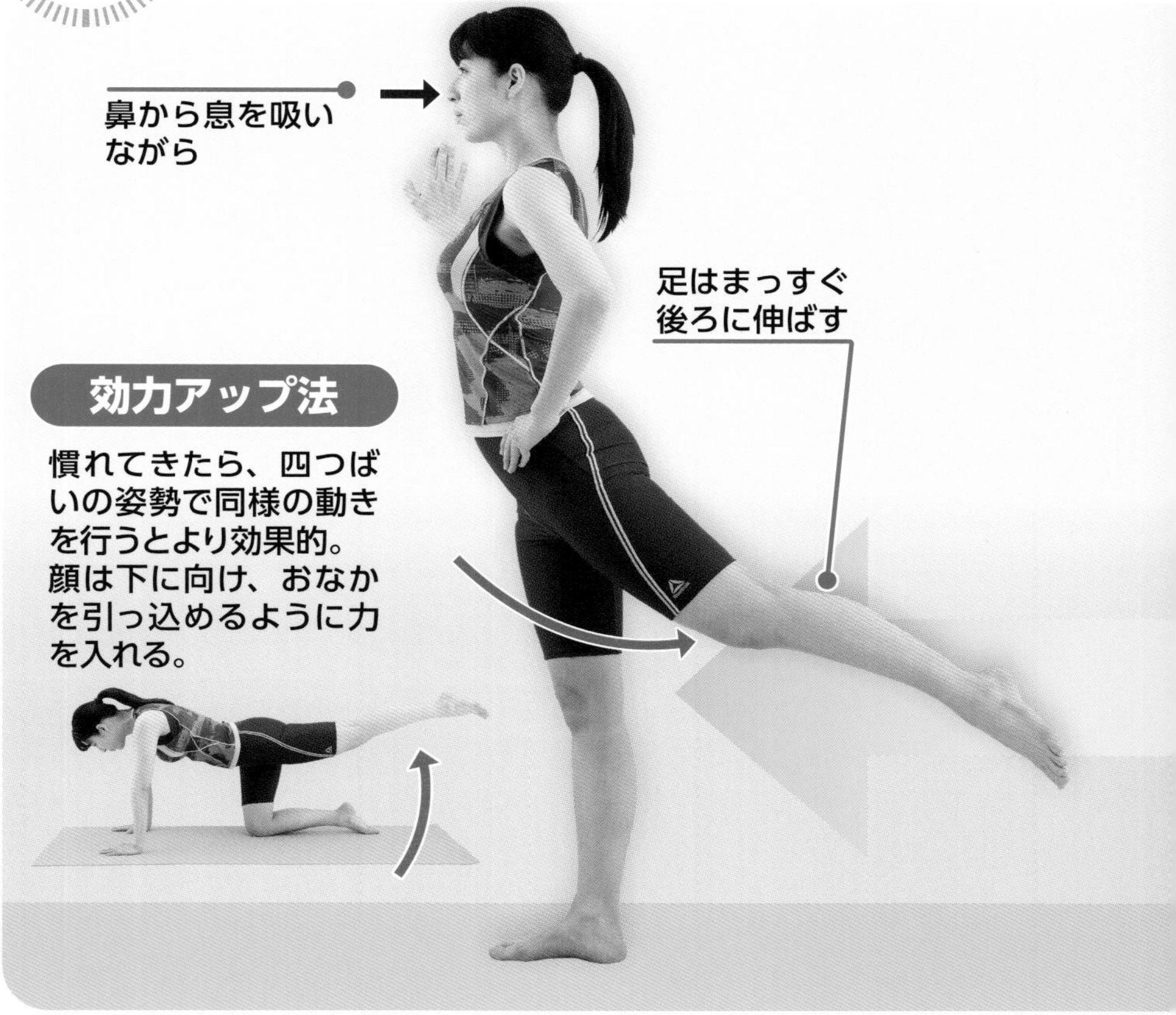
鼻から息を吸いながら
足はまっすぐ後ろに伸ばす

効力アップ法

慣れてきたら、四つばいの姿勢で同様の動きを行うとより効果的。顔は下に向け、おなかを引っ込めるように力を入れる。

3 鼻から息を吸いながら、左足を後ろに5秒かけてけり出すように伸ばし、ゆっくりと床に下ろして❶の姿勢に戻る。

4 右足も同様に行う。

❶〜❸を左右で3回ずつくり返して1セットで約1分

息が続かない場合は、途中で息つぎしてもいい。息を止めないことが大切。

らくらく筋トレ⑤

背中とお尻を鍛える
バックブリッジ
1セット1分

❶ あおむけに寝て、両足を肩幅に開く（頭の下に、タオルをたたんだものや枕を置いてもいい）。
両ひざを立てる。両手は体のわきに置く。

❷ 呼吸を止めないよう「ツー」といいながら、５秒かけてゆっくりとお尻を持ち上げる。その姿勢のまま 10 秒間キープ。

❸ 鼻から息を吸いながら、５秒かけてゆっくりとお尻を下ろし、❶の姿勢に戻る。

息が続かない場合は、途中で息つぎしてもいい。息を止めないことが大切。

体操の効果 歩行に必要なお尻の筋肉を鍛えるとともに、体幹筋（胴体の筋肉）を鍛え、歩くときの姿勢を安定させる。

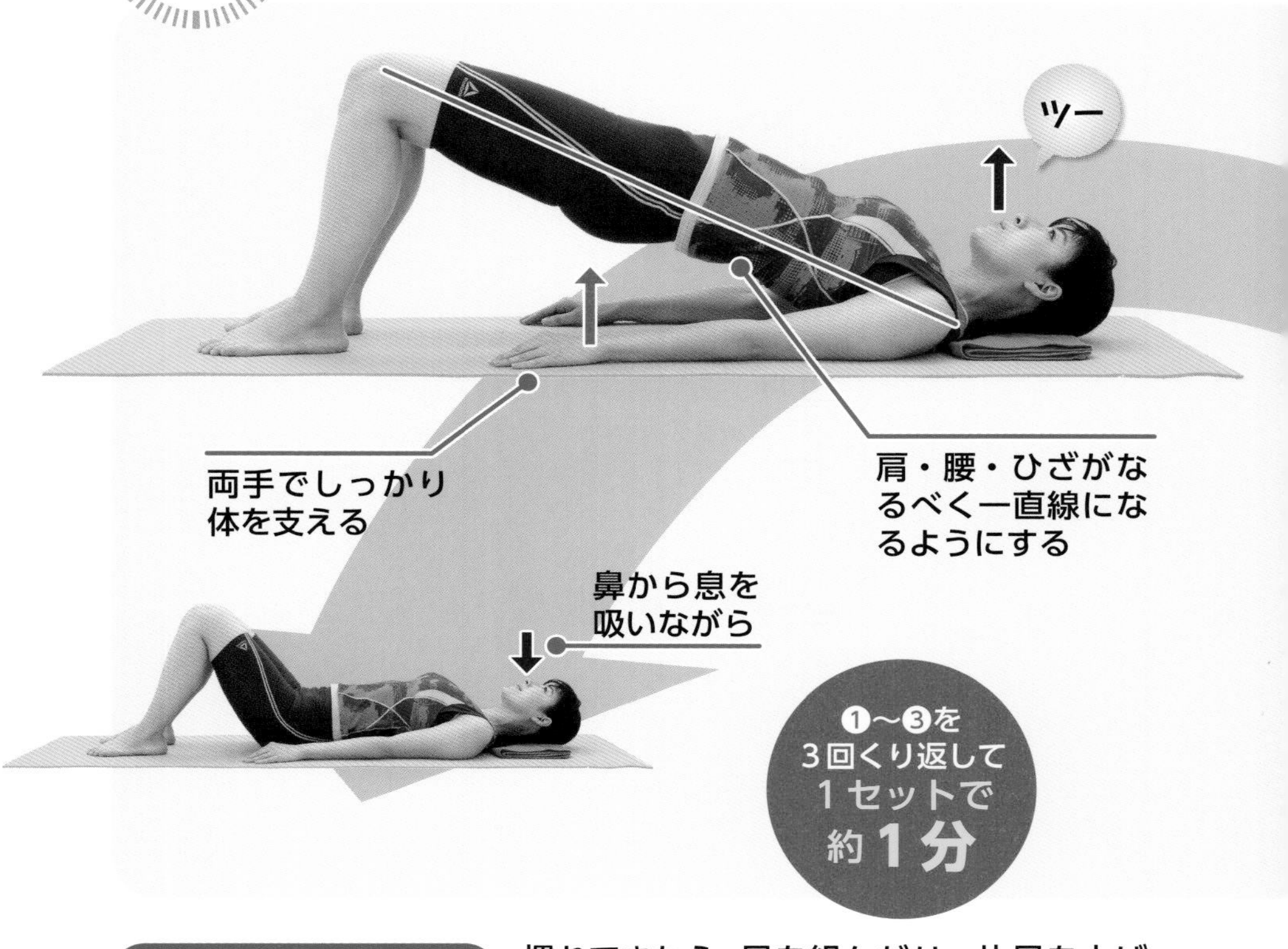
ツー
両手でしっかり体を支える
肩・腰・ひざがなるべく一直線になるようにする
鼻から息を吸いながら
❶〜❸を3回くり返して1セットで約1分

効力アップ法 慣れてきたら、足を組んだり、片足を上げたりすると、より負荷が大きくなり、効果が高まる。

最新研究から解明！慢性腎臓病の患者さんの腎機能の悪化を防ぐ「1週間スケジュール」

日本腎臓《じんぞう》リハビリテーション学会の『腎臓リハビリテーションガイドライン』では、最新の研究に基づき、目安となる運動強度・頻度を示しています（16ページの表参照）。上の表はそれに基づいて作成したスケジュールです。あくまでも一例ですから、自分の体力や都合上無理だと思ったら、ストレッチや腎臓体操の1種目だけから始めたり、週の半ばに休みを入れたりしてもかまいません（ただし、ウォーキングや筋トレ前には必ずストレッチを行う）。張り切りすぎて三日坊主になるより、無理のない予定を立て、できる範囲で継続したほうが効果的です。

おすすめの1週間スケジュール例

月	腎臓体操
火	ストレッチ ＋ ウォーキング ＋ 筋トレ
水	腎臓体操
木	ストレッチ ＋ ウォーキング
金	腎臓体操
土	ストレッチ ＋ ウォーキング ＋ 筋トレ
日	休み

●ウォーキングや筋トレ前には必ずストレッチを行う。
●筋トレは1回に1種目でいい。同じ種目を続けて行わないようにする。

最新情報

第1章

知らないと危険！慢性腎臓病の治療の常識が180度変わった！「腎臓病は不治の病」はもはや過去の常識

1330万人を襲う新国民病「慢性腎臓病」が日本人に急増し、腎不全ばかりか脳卒中・心筋梗塞まで多発し今大問題

日本腎臓《じんぞう》学会の調査によれば、日本の慢性腎臓病（CKD）の患者数は約1330万人。しかも、その数は年々増える傾向にあります。

患者数の増加には、高齢化と生活習慣の変化が関係しています。加齢に伴って腎機能は少しずつ低下していくため、高齢者が増えると慢性腎臓病の患者数もおのずと増えていきます。また、高血圧や糖尿病といった慢性腎臓病の原因となる生活習慣病が増えていることも、患者数増加の要因と考えられます。

日本の慢性腎臓病患者数（20歳以上）

GFR ステージ	GFR (mL/分/1.73㎡)	尿たんぱく −〜±	尿たんぱく 1＋以上
G1	≧90	2,803万人	61万人
G2	60〜89	6,187万人	171万人
G3a	45〜59	886万人	58万人
G3b	30〜44	106万人	24万人
G4	15〜29	10万人	9万人
G5	＜15	1万人	4万人

（日本腎臓学会『CKD診療ガイド2012』より）

＊赤い線で囲まれたところが慢性腎臓病に相当する。

＊GFRステージ分類については65㌻参照。

慢性腎臓病の診断基準

明らかな腎臓障害

尿・血液の検査、画像診断、症状から、腎臓に障害が起こっていることが明らか。特に尿たんぱくが0.15グラム／gCr以上（30ミリグラム／gCr以上の尿アルブミン）

腎機能の低下

糸球体ろ過量（GFR）が60ミリリットル／分／1.73平方メートル未満である。

▼

どちらか、または両方が3ヵ月以上続く

▼

慢性腎臓病と診断される

慢性腎臓病は1つの病気を指す病名ではなく、一定の基準を満たすさまざまな腎臓の病気の総称です。具体的には腎不全（腎臓の機能が低下したり、失われたりした状態）に陥ることをいい、**次のうちのどちらか一方、あるいは両方が3ヵ月以上続くこと**が診断基準とされています（日本腎臓学会『CKD診療ガイドライン2018』）。

①尿・血液の検査、画像診断、症状から、腎臓に障害が起こっていることが明らかであること

②糸球体ろ過量（GFR）*が60（ミリリットル／分／1・73平方メートル）未満であること

②のGFRは、慢性腎臓病の進行度を示す6つのステージ分類にも用いられます（64ページ参照）。GFRを調べる検査は手間がかかる

＊GFR: Glomerular Filtration Rate（糸球体ろ過量）の略

ので、実際には、血液検査で血清クレアチニン値を調べ、年齢や性別とともに計算式に当てはめて算出した、推算糸球体ろ過量（ｅＧＦＲ*。66ページ参照）が用いられるのが一般的です。

慢性腎臓病になると、**①血液中の老廃物を除去する**、**②体内の水分を調節する**、**③電解質**（水に溶けると陽イオン、陰イオンに分かれ、電気を帯びる物質。ナトリウム、カリウム、カルシウム、マグネシウム、リン、クロールなど）**を調節する**、**④血液の酸・アルカリのバランスを調節する**、**⑤ホルモンをつくる**といった腎臓の働きが低下してしまいます。病気が進行し、腎臓がほとんど機能しない状態（末期腎不全）になると、人工透析や腎移植をしなければ生命を維持することができなくなってしまいます。

患者数の増加とともに人工透析を行っている患者数も増えつづけており、日本で末期腎不全により**人工透析を行っている患者数は約34万人**（日本透析医学会、２０１８年）と報告されています。

注意すべきなのは、慢性腎臓病になると**心血管病（心筋梗塞《こうそく》・脳卒中など）**のリスクが高まることです。九州大学大学院の久山町研究（１９６１年から続く脳卒中、心臓病などの大規模調査）をはじめ、日本を含む世界の各種の研究・調査

＊eGFR: Estimated GFR の略

慢性腎臓病と心血管病の関係

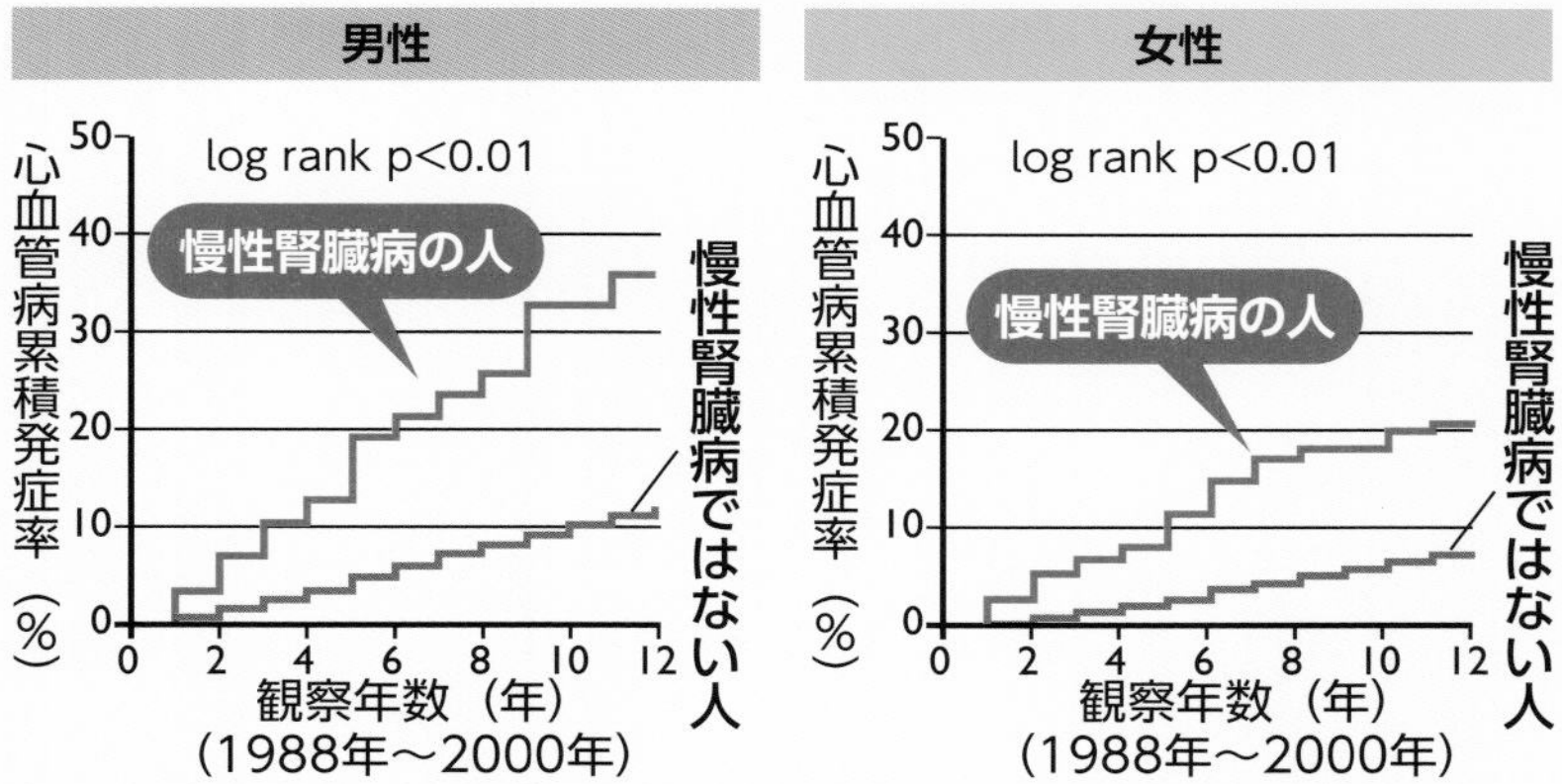

（二宮利治, 清原裕: 久山町研究からみた慢性腎臓病. 綜合臨床 55: 1248–1254, 2006. より作成）

で、慢性腎臓病の人は心血管病を発症しやすいことが明らかになっています。

近年は、「心腎連関症候群」（腎機能が低下すると心機能が低下し、逆に、心臓病になると腎機能が低下するというように、腎臓と心臓の間に深く複雑な関係があること）の研究が進み、慢性腎臓病が心臓に及ぼす影響の大きさがクローズアップされています。

しかし、**「腎臓病は不治の病」といわれていたのは、もう過去のこと**です。現在では、慢性腎臓病は、**早期に発見し適切な治療を行えば改善できる病気、それ以上の進行を抑制できる病気**です。また、かつては腎臓病は「安静第一」がすすめられていましたが、食事療法と並んで、**運動療法**も治療の柱として重要視されるようになっています。

慢性腎臓病は腎炎のほか糖尿病・高血圧・肥満・痛風で多発し、冷え・脱水で腎血流が減る冬と夏は急悪化する魔の季節

慢性腎臓《じんぞう》病の原因となる病気（原疾患《げんしつかん》）には、**糖尿病性腎症**、**肥満関連腎症**、**腎硬化症**、**IgA**《アイジーエー》**腎症**、**嚢胞腎**《のうほうじん》、**ループス腎炎**などさまざまなものがあります（74〜76ページ参照）。

日本透析医学会の調査では、２０１９年末時点で、人工透析を始めた患者さんの原疾患で最も多いのは糖尿病性腎症で39・1％を占め、次いでＩｇＡ腎症などの慢性糸球体腎炎が25・7％、高血圧が原因となる腎硬化症が11・4％となっています。国の指定難病であるＩｇＡ腎症を除くと、糖尿病・高血圧・肥満・痛風といった生活習慣病が原疾患である割合が高いのです（次ページのグラフ参照）。

糖尿病による高血糖は腎臓の糸球体の毛細血管を傷つけ、血液をろ過するフィルターの目づまりを起こさせ、腎機能の低下を招きます。高血圧も糸球体の毛細血管を傷め腎機能を低下させます。肥満は、高血糖・高血圧から腎機能の低下を招くほか、脂肪細胞から分泌《ぶんぴつ》されるアンジオテンシノーゲンという物質によって

透析患者に占める原疾患割合の推移

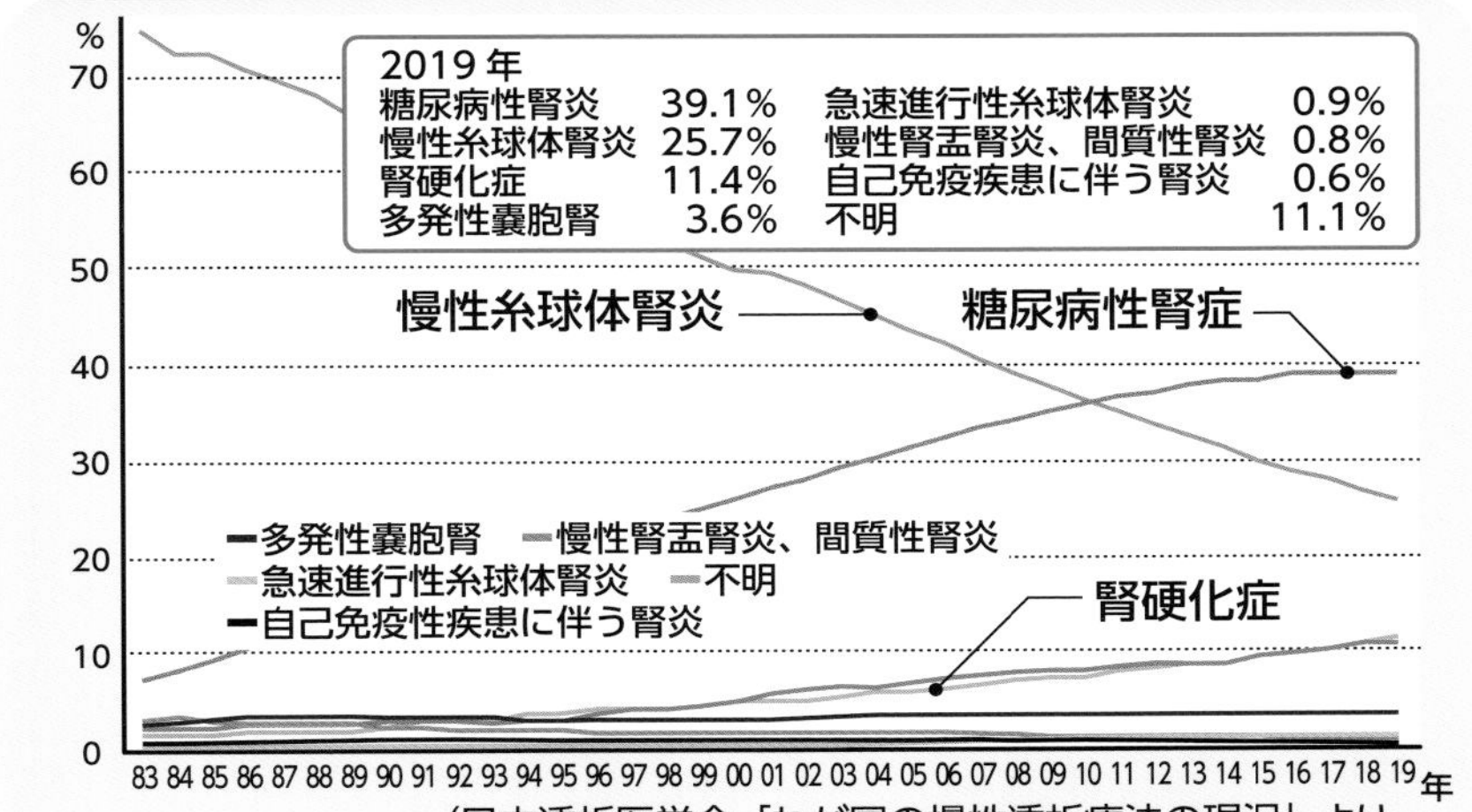

（日本透析医学会「わが国の慢性透析療法の現況」より

腎機能が低下する肥満関連腎症の心配もあります。痛風の人は高血圧や動脈硬化症を発症していることが多く、これが腎機能の低下を招く原因となります。慢性腎臓病を改善するには、適度な運動などを行って生活習慣を改善し、原疾患を治療することが大切です。

慢性腎臓病の人にとって生活習慣を整えることは1年を通じて重要ですが、特に注意すべきは冬と夏です。

例えば、血糖値は季節によって変動し、冬は高くなる傾向があり、腎臓にも悪影響を及ぼします。これは冬は運動不足になりがちであることのほか、寒さに対する体の反応などが原因と考えられています。また、寒さによって血管が収縮すると高血圧が悪化しやすく、これも腎臓の毛細血管を傷つける原因になります。腎臓を守るために、**寒い季節は保温に気を配り、急激な温度変化をさける**ようにしましょう。

夏もまた、慢性腎臓病の人にとっては要注意の季節で、中でも警戒すべきなのは脱水です。暑さで大量に汗をかくため脱水状態を招き、**血栓（血液の塊）ができやすい**のです。血栓により血流が悪くなると、腎臓に大きな負担がかかります。血液透析を受けている人は水分摂取量が制限され、医師の指示に従って適切な水分量を守らなければなりませんが、脱水に注意が必要なのは同じです。また、暑いからといってアイスや清涼飲料水、糖分が含まれるスポーツ飲料などをとりすぎると血糖値が上がってしまうので、水分摂取のさいは水分の種類にも注意しましょう。

なお、脱水は冬にも起こります。特に冬は、暖房の効いた部屋で過ごしているうちに自覚のないまま脱水状態になる**「隠れ脱水」**に要注意です。最近は新型コロナウイルス感染防止のため長時間マスクを着けることが多くなりましたが、この場合も隠れ脱水に注意が必要です。マスクを着けた状態では口周辺の湿度が高く、のどの渇きを感じにくくなるためです。自分に必要な水分量を知り、渇きを感じる前に水分を補給するなどの工夫が必要です。

要注意サイン

第2章

頻尿・濃い尿・泡立ち尿・指輪がきつい・腎臓病家系など、慢性腎臓病を疑うべき「要注意サイン」一覧

慢性腎臓病のサインはまず「尿」に現れ、頻尿・茶褐色の濃い尿・においが強い尿・泡立つ尿は要注意

尿の異常には日ごろから注意が必要です。異常がある場合、尿路*の急性感染症などで腎《じん》機能が急に低下している危険性があるからです。尿の異常には大きく分けて排尿（回数や量）の異常と、状態（色やにおい、性質）の異常があります。

■排尿の異常

①頻尿……排尿の回数が増えることをいいます。排尿回数には個人差がありますが、1日に8～10回以上トイレに行ったり、夜間に2回以上トイレに起きたりするような場合、頻尿と診断されます。

②多尿……1日3《リットル》以上の尿量がある場合は多尿と診断されます。尿量が増えて体内の水分量が減ると、今度はのどが渇いて異常に水分を多くとるようになり、また多尿になる、というくり返しが起こります。

③乏尿・無尿……1日の尿量が少なく、400～500《ミリリットル》以下しかない場合を乏尿、100《ミリリットル》以下の場合を無尿といいます。水分が十分排泄《はいせつ》されないため、

＊腎臓・尿管・膀胱・尿道の総称。尿が作られ排泄されるまでの通り道

体のむくみ（浮腫《ふしゅ》）を伴います。

尿の状態の異常

①血尿……腎臓の糸球体からの出血で尿に血液がまじるものです。見た目に赤くなくても、検査で血液が検出される場合もあります（顕微鏡的血尿）。

②たんぱく尿……腎機能が低下し、通常は尿中へもれ出ることのないたんぱく質が尿にまざって排泄されてしまうものです。排尿のさいに尿が泡立ち、泡がなかなか消えない場合は、たんぱく尿の疑いがあります。

③ミオグロビン尿……筋肉中のミオグロビンという成分が尿に溶け出て、茶褐色の尿が出るものです。激しい運動で筋肉が傷ついて起こるものは一過性ですが、だるさや筋肉の痛みといった症状が続く場合は、横紋筋融解症《おうもんきんゆうかいしょう》などによる急激な腎機能低下の可能性もあります。

④膿尿《のうにょう》……腎膿瘍《のうよう》（腎臓やその周囲に膿《うみ》がたまる病気）などの感染症によって尿に膿（白血球の死骸）が継続してまざり、濁った黄白色の尿が出るものです。

⑤においの強い尿……強いアンモニア臭があり、発熱や腰・わき腹・背中の痛みなどを伴う場合、腎盂《う》腎炎（尿道から膀胱《ぼうこう》に細菌が入って起こる炎症）などの感染症の疑いがあります。

むくみが消えないのも慢性腎臓病の重大サインで、だるさ・食欲不振・かゆみもあれば要警戒

腎《じん》機能の低下が進むと、血液中の水分や老廃物が十分に排泄《はいせつ》されず体内に蓄積したり、電解質（体内で血圧や筋肉の働きを調整するカリウム、カルシウムなどの物質）やホルモン、酸・アルカリのバランスに異常が生じたりすることで、全身にさまざまな症状が現れます。

水分が十分に排泄されないと、尿量が減少するほかに、**むくみ（浮腫《ふしゅ》）**が現れます。血管やリンパ管から染み出した水分が皮膚の下にある組織にたまっている状態で、体重が2～3㌔増える程度でも、足に重だるさや鈍い痛みを感じたり、顔がはれぼったくなったり、指輪がきつくなったりします。重い場合は全身がむくみ、肺水腫《はいすいしゅ》（肺の中に水が染み出てたまる状態）になることがあります。肺水腫になると呼吸困難を起こすので、緊急治療が必要となります。

老廃物が十分に排泄されないと**だるさ**や**疲れやすさ**、**食欲不振**、**吐きけ**、**全身のかゆみ**といった症状、ホルモンの異常から**貧血**や**不整脈**などの症状も見られま

す。こういった症状を総称して**「尿毒症」**といいますが、放置して症状が悪化した場合、数日から数週間で死に至ることもある恐ろしい合併症です。症状に気づいたら、早めに受診して検査を受ける必要があります。

尿毒症の症状

●脳・神経の症状

頭痛、けいれん、しびれ、マヒ、筋力の低下、知覚異常、思考力の低下（認知症様の症状）、意識障害、不眠・イライラ

●循環器の症状

動悸、高血圧、心肥大、心不全、心膜炎、虚血性心疾患

●肺の症状

息切れ、呼吸困難、胸水（肺の外側に水がたまる）、肺水腫（肺の内部に水がたまる）

●消化器の症状

食欲不振、吐きけ・嘔吐、下痢、口内炎、消化管からの出血

●内分泌系の症状

無月経、生殖能力の低下（インポテンス、精子濃度の低下）

●目の症状

視力障害、眼底出血、網膜症

●血液に関する症状

貧血、脂質異常症、高尿酸血症（痛風）、代謝性アシドーシス（体内が酸性に傾く）、出血しやすくなる

●皮膚の症状

かゆみ、皮下出血（あざ）、皮膚の黒ずみ（色素沈着）

●全身の症状、その他

むくみ、だるさ、疲れやすさ、強い口臭

慢性腎臓病は進行度別に6ステージあり、血液中の老廃物「クレアチニン」の量と年齢をもとに判定

慢性腎臓《じんぞう》病は、進行度によって6段階（ステージという）に分かれます。どの段階かはGFRの数値によって決まり、これを「GFR区分」といいます。

GFRは、腎臓のろ過機能を担っている糸球体が、1分間にどれだけの血液をろ過して尿を作ることができるかを表し（単位は㍉㍑《ミリリットル》／分／1・73平方㍍《メートル》）、この数値が小さいほど腎機能の低下が進んでいることを示しています。

GFRの頭文字「G」と数字を組み合わせ、進行度が初期のほうからG1、G2、G3a、G3b、G4、G5のステージに分類され、数字は5までですが、G3にaとbの2段階があるため、実際には6段階となります。

G1は腎機能が「正常」、G2は「軽度低下」とされ、自覚症状はほとんどありません。

G3はGFRが30～59で、慢性腎臓病の中でも患者さんが最も多いステージです。同じG3でもGFRが45未満になると心血管病（心筋梗塞《こうそく》・脳卒中など）や

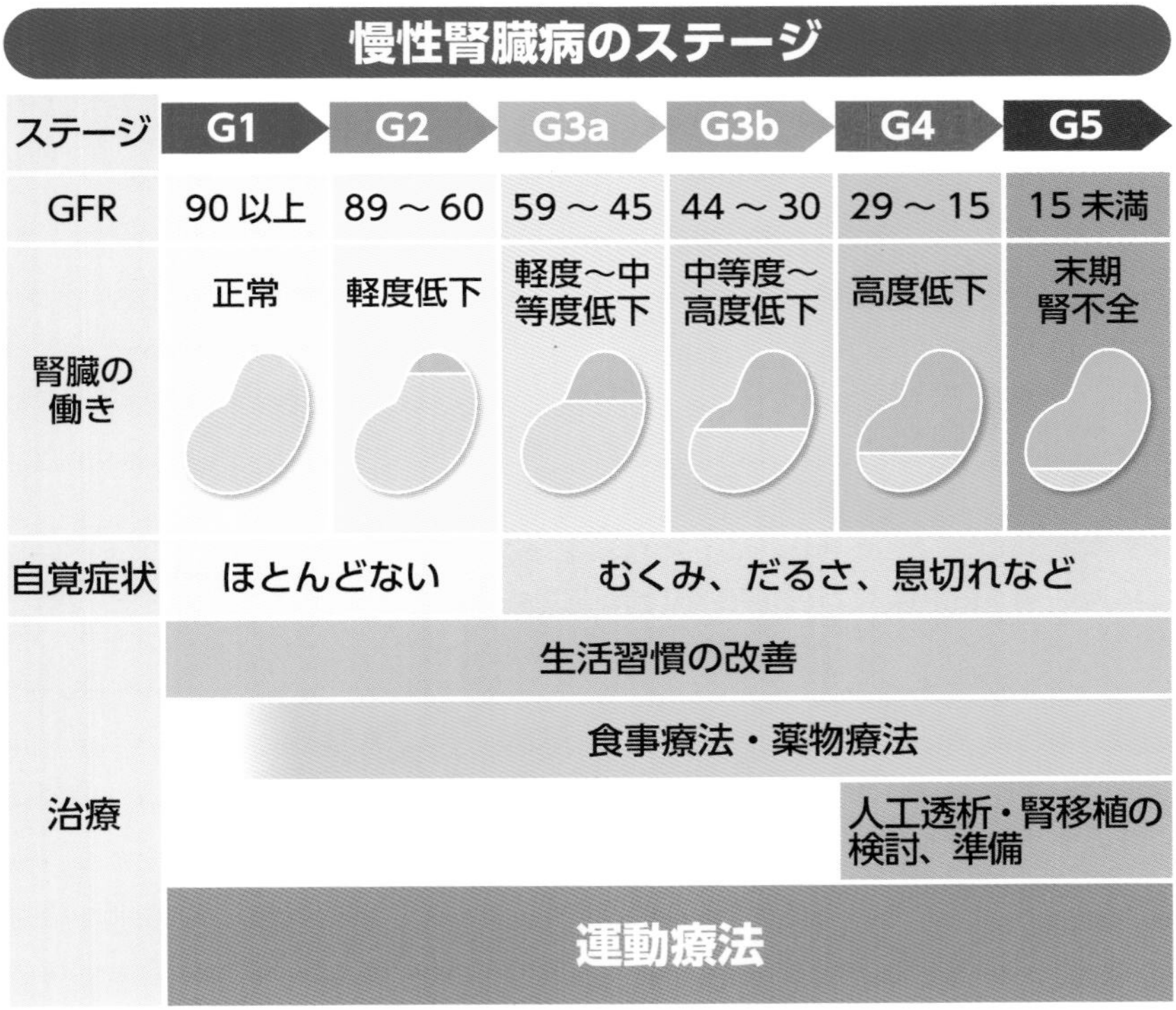

末期腎不全の発症・死亡リスクが有意に高まることが明らかになったため、ＧＦＲ45～59をＧ３ａ、30～44をＧ３ｂと２段階に分けるようになっています。

Ｇ４になると腎機能が「高度低下」、Ｇ５では「末期腎不全」となり、人工透析や腎移植が検討されます。

このように腎機能の指標となるＧＦＲですが、これを正確に調べるには24時間尿をためる蓄尿検査が必要で、手間と時間がかかるため、現在は代わりに**eGFR（推算糸球体ろ過量）**が用いられるのが一般的です。

eGFRは、血液検査で得られた**血清クレアチニン値と、年齢・性別を計算式に当てはめることで算出することができます。**GFRと少し誤差があるものの、腎機能を見る指標としては十分とされています。

ただ、計算式が複雑なので、実際には**男女別の早見表**が用意されています（70～73ページ参照）。

血清クレアチニン値（Cr）は、血液中のクレアチニンの量を示すものです（単位はミリグラム／デシリットル）。

私たちの体は筋肉を動かすためにクレアチンという物質をエネルギーとして使用しますが、そのさいにできる老廃物がクレアチニンです。腎機能が低下するとクレアチニンが尿へ排出されずに血液中にたまるため、この量を血液検査で調べて、腎機能の指標とするのです。

なお、クレアチニンの量は筋肉量によっても変化し、筋肉量が多いほど高めの数値が出るため、

eGFRの計算式（18歳以上）

●男性

$$194 \times Cr^{-1.094} \times 年齢^{-0.287}$$

●女性

$$194 \times Cr^{-1.094} \times 年齢^{-0.287} \times 0.739$$

＊ Cr ＝血清クレアチニン値

一般に男性よりも筋肉量が少ない女性や高齢者、子供は血清クレアチニン値が低くなる傾向があります。

慢性腎臓病には、進行度のほかに、重症度を示す区分があります。慢性腎臓病の患者さんにとってリスクの高い心血管病と末期腎不全の発症・死亡リスクを示すもので、これを**「重症度分類」**といいます。

重症度分類は、ＧＦＲ区分と、たんぱく尿の検査値（慢性腎臓病のもとになった病気が糖尿病の場合は尿アルブミンの検査値）をＡ１～Ａ３までの段階別に分けた**「たんぱく尿区分」**とを組み合わせて示されます（68ページ参照）。ＧＦＲ区分とたんぱく尿区分のどちらかが正常値でも、もう一方が悪化していれば、慢性腎臓病の重症度が高いと診断され、縦軸と横軸の交点の部分が黄色・オレンジ色・赤色に該当する場合は、すべて慢性腎臓病と診断されます。

重症度分類で縦軸と横軸の交点が緑色（ステージＧ１Ａ１、Ｇ２Ａ１）の場合、慢性腎臓病には該当しません。ただし、Ｇ１Ａ１、Ｇ２Ａ１であっても、高血圧、糖尿病、脂質異常症、肥満、40歳以上、喫煙習慣がある人、また、家族に慢性腎臓病の人がいる場合は「ハイリスク群」とされ、慢性腎臓病になりやすいといわれています。この場合も早めに生活習慣の改善を始めましょう。

慢性腎臓病の重症度分類

原疾患				たんぱく尿区分 A1	A2	A3
糖尿病	尿アルブミン（mg/日 または mg/gCr）			正常	微量アルブミン尿	顕性アルブミン尿
				30 未満	30 ～ 299	300 以上
糖尿病以外	尿たんぱく（g/日 または g/gCr）			正常	軽度たんぱく尿	高度たんぱく尿
				0.15 未満	0.15 ～ 0.49	0.50 以上
GFR区分	G1	正常または高値	90以上			
	G2	正常または軽度低下	60～89			
	G3a	軽度～中等度低下	45～59			
	G3b	中等度～高度低下	30～44			
	G4	高度低下	15～29			
	G5	末期腎不全	15未満			

心血管病による死亡や末期腎不全のリスクを、尿たんぱく・尿アルブミンの程度（横軸）と GFR の数値（縦軸）の組み合わせで示したもの。

■➡■➡■➡■の順でリスクが高くなることを示す。

60未満なら危険！クレアチニン値からあなたの腎機能は何％残っているかわかる「腎機能早見表」

職場などの健康診断で血液検査をして、「血清クレアチニン値」がわかったら、次ページからの早見表を使って、そこから自分の腎《じん》機能がどれくらい残っているかを知ることができます。当てはまる性別の表で、横軸の血清クレアチニン値と、縦軸の年齢が交わったところの数字を見ます。これが該当するｅＧＦＲ（推算糸球体ろ過量）です。これをＧＦＲと見なして腎機能の状態を見ます。

例えばｅＧＦＲが「55」なら、健康時の腎機能を１００％とした場合、腎機能が約55％に低下していることを示します。ｅＧＦＲが60未満になるとＧＦＲ区分はステージＧ３ａ以下となり、腎機能に危険信号がともっている状態です。少なくともＧ２（ｅＧＦＲが90未満）になった時点で、医療機関を受診しましょう。

また、尿検査で尿たんぱく（糖尿病の人は尿アルブミン）の値もわかったら、前ページの表で、縦軸のｅＧＦＲと交わるところを見てみましょう。心血管病（心筋梗塞《こうそく》・脳卒中など）による死亡や末期腎不全のリスクを知ることができます。

eGFRは糸球体ろ過量を簡易に求めるための推算値です。早見表の数値はあくまで推算値であり、確定診断は必ず専門医を受診してください。

腎機能の進行度早見表 男性 ①

年齢＼SCr.	0.6	0.7	0.8	0.9	1.0	1.1	1.2	1.3	1.4	1.5	1.6	1.7	1.8	1.9	2.0	2.1	2.2	2.3
20	≧90	≧90	≧90	≧90	82	74	67	61	56	52	49	46	43	40	38	36	34	33
25	≧90	≧90	≧90	86	77	69	63	57	53	49	46	43	40	38	36	34	32	31
30	≧90	≧90	≧90	82	73	65	59	54	50	46	43	40	38	36	34	32	30	29
35	≧90	≧90	89	78	69	63	57	52	48	44	41	39	36	34	32	31	29	28
40	≧90	≧90	85	75	67	60	55	50	46	43	40	37	35	33	31	29	28	27
45	≧90	≧90	83	73	65	58	53	48	45	41	38	36	34	32	30	28	27	26
50	≧90	≧90	80	70	63	56	51	47	43	40	37	35	33	31	29	28	26	25
55	≧90	≧90	78	68	61	55	50	46	42	39	36	34	32	30	28	27	25	24
60	≧90	88	76	67	59	54	49	45	41	38	35	33	31	29	28	26	25	24
65	≧90	86	74	65	58	52	48	43	40	37	35	32	30	29	27	26	24	23
70	≧90	84	73	64	57	51	46	43	39	36	34	32	30	28	26	25	24	23
75	≧90	83	71	63	56	50	46	42	38	36	33	31	29	27	26	25	23	22
80	≧90	81	70	61	55	49	45	41	38	35	33	30	29	27	25	24	23	22
85	≧90	80	69	60	54	48	44	40	37	34	32	30	28	26	25	24	22	21

ハイリスク群・G1、G2、G3a、G3b、G4、G5　＊SCr.＝血清クレアチニン値

＊『慢性腎臓病診療ガイドライン2012』（日本腎臓学会）から引用・改変。
推算値を整数値にしてあるため、同じ数値でもステージ分類が異なる場合がある。

腎機能の進行度早見表 男性 ❷

年齢＼SCr.	2.4	2.5	2.6	2.7	2.8	2.9	3.0	3.1	3.2	3.3	3.4	3.5	3.6	3.7	3.8	3.9	4.0
20	31	30	28	27	26	25	24	23	23	22	21	20	20	19	19	18	18
25	29	28	27	26	25	24	23	22	21	20	20	19	19	18	17	17	16
30	28	26	25	24	23	22	22	21	20	19	19	18	18	17	17	16	16
35	26	25	24	23	22	21	21	20	19	18	18	17	17	16	16	15	15
40	25	24	23	22	21	21	20	19	18	18	17	17	16	16	15	15	14
45	25	23	22	21	21	20	19	18	18	17	17	16	16	15	15	14	14
50	24	23	22	21	20	19	19	18	17	17	16	16	15	15	14	14	13
55	23	22	21	20	19	19	18	17	17	16	16	15	15	14	14	13	13
60	23	22	21	20	19	18	18	17	16	16	15	15	14	14	13	13	13
65	22	21	20	19	19	18	17	17	16	15	15	14	14	14	13	13	12
70	22	21	20	19	18	17	17	16	16	15	15	14	14	13	13	12	12
75	21	20	19	19	18	17	16	16	15	15	14	14	13	13	13	12	12
80	21	20	19	18	17	17	16	16	15	14	14	14	13	13	12	12	12
85	20	19	19	18	17	16	16	15	15	14	14	13	13	13	12	12	11

ハイリスク群・G1、G2、G3a、G3b、G4、G5　＊SCr.＝血清クレアチニン値

eGFRは糸球体ろ過量を簡易に求めるための推算値です。早見表の数値はあくまで推算値であり、確定診断は必ず専門医を受診してください。

腎機能の進行度早見表 女性 ①

年齢＼SCr.	0.6	0.7	0.8	0.9	1.0	1.1	1.2	1.3	1.4	1.5	1.6	1.7	1.8	1.9	2.0	2.1	2.2	2.3	2.4	2.5	2.6
20	≧90	89	77	68	60	54	49	45	42	38	36	34	31	30	28	26	25	24	23	22	21
25	≧90	84	72	63	56	51	46	42	39	36	34	31	29	28	26	25	24	22	21	20	20
30	≧90	79	68	60	54	48	44	40	37	34	32	30	28	26	25	24	22	21	20	19	19
35	≧90	76	66	58	51	46	42	38	35	33	30	28	27	25	24	23	21	20	19	19	18
40	87	73	63	55	49	44	40	37	34	31	29	27	26	24	23	22	21	20	19	18	17
45	84	71	61	54	48	43	39	36	33	30	28	26	25	23	22	21	20	19	18	17	16
50	81	68	59	52	46	42	38	35	32	29	27	26	24	23	21	20	19	18	17	17	16
55	79	67	57	50	45	40	37	34	31	29	27	25	23	22	21	20	19	18	17	16	16
60	77	65	56	49	44	39	36	33	30	28	26	24	23	21	20	19	18	17	17	16	15
65	75	63	55	48	43	39	35	32	29	27	25	24	22	21	20	19	18	17	16	15	15
70	74	62	54	47	42	38	34	31	29	27	25	23	22	21	19	18	17	17	16	15	14
75	72	61	53	46	41	37	34	31	28	26	24	23	21	20	19	18	17	16	15	15	14
80	71	60	52	45	40	36	33	30	28	26	24	22	21	20	19	18	17	16	15	15	14
85	70	59	51	45	40	36	32	30	27	25	24	22	21	19	18	17	16	16	15	14	14

ハイリスク群・G1、G2、G3a、G3b、G4、G5　＊SCr.＝血清クレアチニン値

＊『慢性腎臓病診療ガイドライン2012』（日本腎臓学会）から引用・改変。
推算値を整数値にしてあるため、同じ数値でもステージ分類が異なる場合がある。

腎機能の進行度早見表 女性 ❷

年齢＼SCr.	2.7	2.8	2.9	3.0	3.1	3.2	3.3	3.4	3.5	3.6	3.7	3.8	3.9	4.0
20	20	19	18	18	17	17	16	15	15	14	14	14	13	13
25	19	18	17	17	16	15	15	14	14	14	13	13	12	12
30	18	17	16	16	15	15	14	14	13	13	12	12	12	11
35	17	16	16	15	15	14	14	13	13	12	12	12	11	11
40	16	16	15	15	14	13	13	13	12	12	11	11	11	10
45	16	15	15	14	13	13	13	12	12	11	11	11	10	10
50	15	15	14	14	13	13	12	12	11	11	11	10	10	10
55	15	14	14	13	13	12	12	11	11	11	10	10	10	10
60	14	14	13	13	12	12	12	11	11	10	10	10	10	9
65	14	14	13	13	12	12	11	11	11	10	10	10	9	9
70	14	13	13	12	12	11	11	11	10	10	10	9	9	9
75	14	13	13	12	12	11	11	10	10	10	9	9	9	9
80	13	13	12	12	11	11	11	10	10	10	9	9	9	8
85	13	13	12	12	11	11	10	10	10	9	9	9	9	8

ハイリスク群・G1、G2、G3a、G3b、G4、G5　＊SCr.＝血清クレアチニン値

慢性腎臓病のステージ分類

病期（ステージ）	GFR	腎機能
	90以上	ハイリスク群（高血圧、糖尿病、脂質異常症、肥満、喫煙習慣、40歳以上、家族に慢性腎臓病の人がいる）
G1	90以上	腎障害はあるがGFRは正常または高値
G2	60～89	腎障害がありGFR軽度低下
G3a	45～59	GFR中度低下
G3b	30～44	GFR中度低下
G4	15～29	GFR高度低下
G5	15未満	腎不全

コラム

慢性腎臓病の原因になる主な病気一覧

AKI（急性腎障害）

事故などによる大量出血や脱水症、心筋梗塞《こうそく》、肝硬変、細菌やウイルスによる腎臓《じんぞう》の炎症、前立腺《せん》肥大症、がん、尿路結石など、さまざまな原因で、腎機能が数時間～数日のうちに低下する状態をいいます。それぞれの原因に対する治療を行いますが、AKI《エーケーアイ》から慢性腎臓病や末期腎不全となる場合も少なくありません。

AKIは、障害が起こった部位が腎臓に対してどの位置にあるかで「腎前性（腎臓の手前で障害が起こり腎臓へ送られる血液が急激に減少するために起こる）」「腎性（腎臓そのものに障害が起こる）」「腎後性（腎臓で作られた尿が腎臓を出た後に、尿の通り道がふさがる）」の3つに分けられます。

糖尿病性腎症

糖尿病は、食物から取り入れたブドウ糖をエネルギーとして使うさいに必要なインスリンというホルモンの分泌《ぶんぴつ》が減ったり、働きが悪くなったりして、慢性的に血糖値（血液中のブドウ糖濃度）が高くなる病気です。

血糖値が高くなると腎臓の糸球体の毛細血管が傷ついて腎機能が低下し、糖尿病性腎症を発症します。

現在、日本で腎不全となって人工透析を導入する場合の最大の原疾患は、糖尿病性腎症です（2019年末時点で39・1％を占める）。

また、糖尿病性腎症で人工透析導入となった場合、ほかの病気から慢性腎臓病を発症して人工透析を始めた人に比べて5年後の生存率が低いという調査結果があります。さらに、糖尿病患者の死因の約15％は、糖尿病性腎症の合併症であることもわかっています。

肥満関連腎症

肥満に伴って起こる高血圧や高血糖が原因で腎機能が低下する以外に、肥満そのものから起こる腎機能の低下を肥満関連腎症といいます。

　脂肪細胞から分泌されるアンジオテンシノーゲンという物質が原因となり、腎臓の糸球体の血圧が上昇、ろ過機能が過剰に働くようになって、たんぱく尿を引き起こします。

腎硬化症

　慢性的な高血圧により動脈硬化が進み、腎臓の糸球体の毛細血管が傷ついたり、動脈硬化を起こしたりして、腎機能が低下する病気です。

　高血圧は腎硬化症の原因となり、腎硬化症が高血圧を悪化させるという悪循環を招きます。高齢になると動脈硬化が進むため、高齢化により、近年は腎硬化症から人工透析導入となる患者さんが増加しています。

痛風腎

　食物から取り入れたプリン体というたんぱく質を分解するさい、尿酸という物質ができます。血液に溶けきれないほどの尿酸ができると痛風（高尿酸血症）となり、尿酸が結晶化して足の親指の関節などにたまると、強い痛みの症状が現れます。この結晶が腎臓の尿の通り道などにたまり、腎機能を低下させるものを痛風腎といいます。

ＩｇＡ腎症

　腎臓の糸球体に慢性的な炎症が起こり、腎機能が徐々に低下していく病気を総称して慢性糸球体腎炎といいます。

　日本人の慢性糸球体腎炎の約4割を占めるＩｇＡ《アイジーエー》腎症は、国の指定難病です。ＩｇＡというたんぱく質（免疫グロブリンA。気管支や腸などの粘膜にあり免疫機能の中心的役割を担う）が糸球体に沈着して腎機能が低下する腎臓病です。

　ＩｇＡが糸球体に沈着する原因はまだわかっていませんが、慢性扁桃《へんとう》炎などと

コラム

慢性腎臓病の原因になる主な病気一覧

の関係が疑われています。そのため、IgA腎症を発症すると扁桃腺《せん》摘出手術を行うことがあります。

ネフローゼ症候群

①重度のたんぱく尿（1日3・5グラム以上）、②血液中のアルブミン濃度の減少（血清アルブミン値が3・0グラム／デシリットル以下）、③血液中の脂質の濃度が上昇（脂質異常症）、④強いむくみ、という症状が現れている状態のことをいいます。

巣状分節性糸球体硬化症（糸球体の一部が硬化してしまう原因不明の腎炎）などが原因で起こる一次性（原発性）のネフローゼ症候群が全体の70％を占めています。そのほかに、糖尿病性腎症やループス腎炎などが原因となって起こる二次性（続発性）のネフローゼ症候群があります。

ループス腎炎

膠原《こうげん》病の一種・全身性エリテマトーデス（SLE）という病気により引き起こされる腎臓病です。SLEの原因は不明ですが、比較的若い女性に多いといわれています。

免疫複合体（自分自身の組織である自己抗原とそれに対する抗体が複合したもの）が糸球体に付着して炎症を起こし、尿たんぱく、血尿、尿円柱（変性した細胞などからなる円柱状の物質が尿にまじる）といった尿の異常が現れます。

多発性嚢胞腎

左右の腎臓に嚢胞《のうほう》（液体のつまった袋状のもの）がたくさんでき、腎臓の組織を圧迫して腎機能が低下する病気で、国の指定難病です。

PKDという遺伝子の異常によって起こり、両親のどちらかがこの遺伝子を持っていると、約50％の確率で子供に遺伝します。多くは40歳前後で発症し、70歳までに約半数の人が人工透析導入となるといわれています。

最新治療

第3章

警鐘！慢性腎臓病に安静第一を強いる「時代遅れ治療」で、悪化を許し腎不全→透析に至る人が今なお多い

腎臓病の治療は原因となった病気の治療がまず先で、薬物治療・食事療法に加え運動療法の効果が今注目の的

慢性腎臓《じんぞう》病の治療では、まず、**原疾患《しっかん》の治療**が基本となります。例えば、糖尿病であれば血糖値を下げ、高血圧であれば血圧を下げるための治療を優先的に行います。そのうえで、食事療法や薬物治療、運動療法を組み合わせて、総合的に慢性腎臓病の治療を進めていくことになります。

治療はなるべく早期から始めることが重要です。**早期治療により、それ以上の腎機能の低下を抑え、改善できる可能性が大きくなる**からです。

G1・G2では、慢性腎臓病のリスクを高める生活習慣病などの治療を行いつつ、塩分量やエネルギー摂取量を適切にコントロールする食事療法が必要です。G3以降になると、現状の腎機能がこれ以上低下しないようにすることが治療の目標となり、食事療法ではたんぱく質が制限され、場合によってはカリウムの制限も必要になります。G4になると、たんぱく質の制限とともに、より厳密な減塩・カリウム制限が必要になることもあります。

G5で尿毒症症状(63ジペー参照)が現れ、ほかの治療方法で改善が不可能な場合は、腎代替療法(人工透析・腎移植)が必要となります。

薬物療法は、各ステージの病状に合わせて適切な薬を用いることで、腎機能の低下や病状の悪化、合併症の発症を予防・改善することが目的です。

慢性腎臓病の治療のうち、現在、最もクローズアップされているのが、運動療法です。かつて慢性腎臓病に運動は禁忌《きんき》とされていたこともありますが、この十数年で腎臓病の研究や医療技術が著しく進歩し、治療も様変わりし、運動療法が治療の柱とされるようになっています。

運動療法は、G1からG5までどのステージでも取り組むことができるという点で、優れた治療法です。実際、腎臓リハビリの運動療法によって**クレアチニン値が下がり、尿たんぱくが減少した人がおおぜいいます。人工透析を検討するほど腎機能が衰えていた人が、腎臓リハビリで回避できた事例も多数あります。**さらに、人工透析中の人が腎臓リハビリを行うことで、歩くのがやっとというほど衰えていた身体機能が回復し、外出して買い物や旅行を楽しめるようになるなど、めざましい効果が現れています。食事療法や薬物治療と併せて腎臓リハビリを積極的に行うことが、間違いなく腎機能の改善につながります。

降圧薬・利尿薬・血糖降下薬・吸着炭など、「慢性腎臓病の治療で用いる主な薬」一覧

現在のところ、慢性腎臓《じんぞう》病の特効薬は残念ながらありません。しかし、腎臓を守るために必要な薬を適切に用いることで、腎機能の低下を抑え、病状の悪化を予防することが可能です。また、運動療法を並行して行えば、薬物治療の効果を高めることができます。

高血圧・糖尿病・脂質異常症・高尿酸血症などの病気は慢性腎臓病を悪化させる要因（原疾患《しっかん》）となるので、高血圧なら血圧を下げる降圧薬、糖尿病なら血糖値を下げる血糖降下薬など、各病気に対応した薬が用いられます。腎機能の低下が進んで合併症が現れた場合も、それに対応する薬が用いられます。例えば造血ホルモンの分泌《ぶんぴつ》が低下して貧血を起こしている場合は造血ホルモンの分泌を促す薬、尿量が減少してむくみが出ている場合は尿の排泄《はいせつ》を促す利尿薬を用います。

また、尿毒症の症状（吐きけ・かゆみなど。63ジペー参照）がある場合は、尿毒症の原因物質を吸着して排泄《はいせつ》を促す経口吸着炭薬が用いられることもあります。

慢性腎臓病・合併症の治療で用いる主な薬

病名・症状	薬の種類	薬の働き
高血圧	カルシウム拮抗薬	血管を拡張し血圧を下げる
	ACE 阻害薬、ARB	血圧を上げる物質の働きを抑える
糖尿病	DPP-4 阻害薬	インスリンの分泌を高めるホルモンの働きを促す
	GLP-1 アナログ	すい臓でのインスリン分泌を促す
	スルホニル尿素薬	すい臓でのインスリン分泌を促す
	速効型インスリン分泌促進薬（グリニド薬）	すい臓でのインスリン分泌をより速やかに促す
	SGLT2 阻害薬	腎臓でのブドウ糖の再吸収を抑える
	α - グルコシダーゼ阻害薬	ブドウ糖の吸収を遅らせ、食後の高血糖を抑える
	ビグアナイド	肝臓で糖を作る働きを抑える
	チアゾリジン	筋肉や肝臓でのインスリンの働きをよくする
	インスリン製剤	不足するインスリンを補う
貧血	赤血球造血刺激因子製剤（ESA）	造血ホルモンを補い赤血球を増やす
高カリウム血症	陽イオン交換樹脂製剤	カリウムイオンを排泄し血液中のカリウムを減らす
	利尿薬	水分とともにカリウムを排出する
高リン血症	リン吸着薬	リンの吸収を抑える
脂質異常症	スタチン	肝臓でのコレステロール合成を抑える
	PCSK9 阻害薬	LDL コレステロールを肝臓に取り込みコレステロール値を下げる
高尿酸血症	尿酸生成阻害薬	尿酸の生成を抑える
	尿酸排泄促進薬	尿酸の排泄を促す
腎炎・ネフローゼ	副腎皮質ステロイド薬	炎症を鎮め、免疫の異常を抑える
	免疫抑制薬	免疫の異常を抑える
骨粗鬆症	活性型ビタミンD製剤	骨の生成を促す
むくみ、高血圧、高カリウム血症など	利尿薬（ループ利尿薬、カリウム保持性利尿薬など）	水分の排出を促し、むくみを抑える 高血圧や電解質異常を改善する
尿毒症	経口吸着炭薬	尿毒症の原因物質を吸着し排泄を促す

「慢性腎臓病には安静第一」は10年前の古い常識で、腎機能低下も透析導入もいっさい防げず逆効果

10年くらい前までは、専門医の間でも「慢性腎臓《じんぞう》病になったら安静第一にして、運動を制限しなくてはならない」という考え方が常識とされていました。しかし現在、それはもう時代遅れの考え方となっています。

長い間「安静第一」が常識とされていたことには、根拠がありました。慢性腎臓病の患者さんが運動をすると、尿たんぱくが増えることが知られていたからです。本来は腎臓の糸球体でろ過されるべきたんぱく質が尿にまじるということは、腎臓病の悪化を示すものです。したがって、「運動は慢性腎臓病によくない」とされ、それ以上腎機能が損なわれることがないよう、運動はさけて安静にすべきであるとされていたのです。

しかし、20年以上前、私たち東北大学のグループは「慢性腎臓病に運動はよくない」という考え方は本当に正しいのかと疑問を抱きました。そのきっかけは、末期腎不全のネズミを、降圧薬を投与するネズミと運動させるネズミに分けて比

較実験をしていたときのことでした。運動したネズミは腎臓病が悪化するはずが、降圧薬を投与したネズミと同様に尿たんぱくが増えなかったのです。さらに、薬物治療などと並行して運動を行うと腎機能に改善が認められ、その効果がよりいっそう高まることもわかりました。当時の常識を覆す驚きの結果でした。

それから私たちは実験・研究を重ね、臨床でも患者さんに協力を仰いで、軽い運動をしてもらい、データを収集しました。その結果、**慢性腎臓病の患者さんが運動をすると一時的に尿たんぱくが増えるものの、それは一過性にすぎず、適度な運動には腎臓病を改善する確かな効果があることがわかった**のです。

それればかりか、慢性腎臓病だからといって**運動を制限して長期間の安静を強いると、逆に病気の悪化が進み、末期腎不全から人工透析の導入となる時期が早まる危険性があることもわかりました。**

その後、世界各国で、数多くの同様の研究・調査が行われ、運動療法には腎機能を改善する顕著な効果があることが、続々と証明されていったのです。

こうして、「安静第一」では腎機能の改善や人工透析の回避は難しいばかりか、かえって腎臓にいい影響を与えないことが明らかになりました。**現代の新しい常識は「慢性腎臓病に安静はよくない」に180度変わったのです。**

「腎臓病患者の安静」は足腰の筋肉やせや全身の老化も著しく早め、寝たきりや心臓病まで増やす元凶と判明

慢性腎臓《じんぞう》病の患者さんが安静にしていると、運動不足から、**サルコペニア***や**フレイル***になる危険性が高くなります。慢性腎臓病の患者さんのうち人工透析をしていない人の14％、透析をしている人になると実に42％にフレイルが認められます。安静（運動不足）は、全身の老化を早める元凶でもあるのです。

フレイルになると**感染症**や**心血管病**（心筋梗塞《こうそく》・脳卒中など）になるリスクが高まり、**高血圧・糖尿病**などの生活習慣病にもつながります。さらに、骨がもろくなり、大腿《だいたい》骨骨折から**寝たきり**になる危険性もあります。足腰の筋肉が落ちることで歩行が困難になれば、QOL（生活の質）も大幅に低下し、**認知機能や意欲が低下**したり、**抑うつ状態**になったりと、精神面にも悪影響を与えます。

しかし、**サルコペニアやフレイルも、腎臓リハビリで十分に回復が可能**です。軽い運動を習慣化すれば、**健康寿命を延ばすことができ、体がすっきり軽くなって、前向きに慢性腎臓病の治療に取り組むことができる**ようになるのです。

＊サルコペニア（Sarcopenia）：加齢や病気で筋肉量が減少して身体機能が低下した状態
＊フレイル（Frailty）：筋力や精神面を含む活力が低下した虚弱状態

運動療法の効果

第4章

世界的大発見！
慢性腎臓病はむしろ「軽運動」で改善するとわかり、
腎臓が活性化し
クレアチニン値もGFR値も
尿たんぱくも軒並み改善

慢性腎臓病の患者さんは安静をやめ適度に運動するほうが全死亡率も心死亡率も30％以上低下するとわかった

日本人の死因を見ると、一番多いのは悪性新生物（腫瘍《しゅよう》）で27・3％、次いで心臓病15・0％、老衰8・8％、脳血管病7・7％などが続き、8番めに多いのが腎《じん》不全で1・9％となっています（厚生労働省2019年人口動態統計）。

腎不全の割合はそれほど多くないように見えるかもしれませんが、慢性腎臓病が心血管病（心筋梗塞《こうそく》・脳卒中など）のリスクを高めることを考えると、慢性腎臓病は重大な死因の1つであることがわかります。一般に、人工透析中の患者さんは保存期（透析導入前）の患者さんに比べて運動不足になりやすく、体力が落ちて死亡率が高まるとされています。

しかし、透析中の患者さんも運動は可能です。私たち東北大学病院の協力施設では、透析にかかる数時間を利用して、30～60分程度の「腎臓リハビリ」の運動療法を行ってもらっています。その結果、適度な運動をすると患者さんの生命予後がよくなる（死亡率が下がる）ことがわかりました。* 定期的な運動習慣を持つ

＊上月正博編『重複障害のリハビリテーション』（三輪書店）

患者さんの割合が多い透析施設ほど、施設当たりの死亡率が低いことも明らかになっています。**アメリカで行われた2000人以上の透析中の患者さんに対する大規模な調査でも、運動習慣がある人のほうが明らかに長生きできる**という結果が出ています（グラフ参照）。

運動をすると寿命が延びる

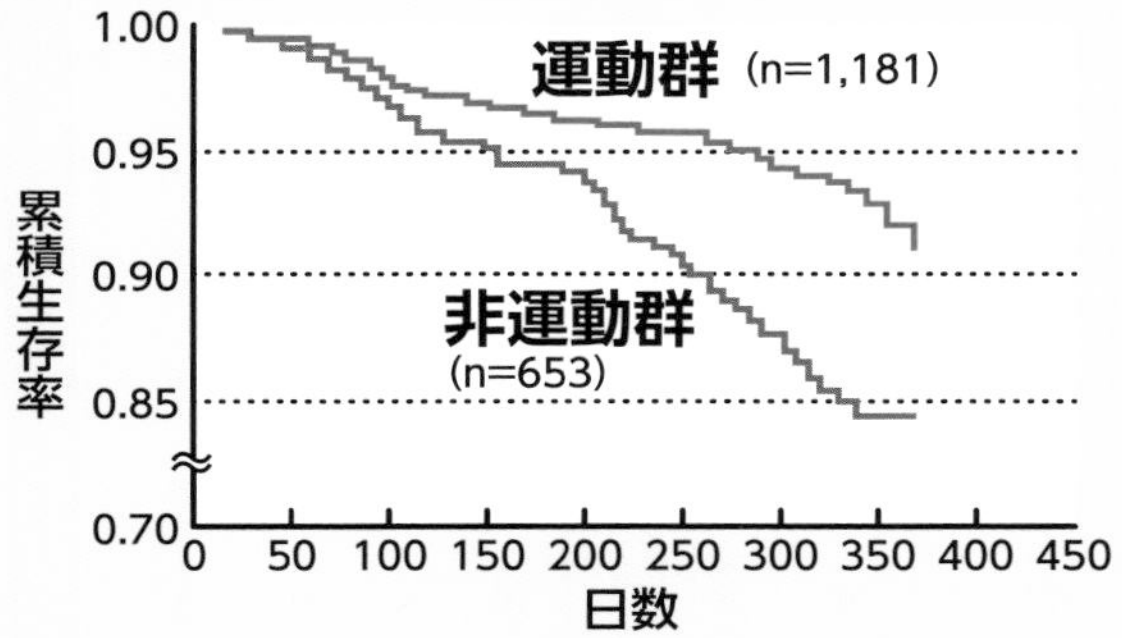

透析中の患者さんで、定期的な運動習慣がある人とない人の大規模な比較調査。運動習慣がある人のほうが明らかに生命予後がいいことがわかった。
(O'Hare AM et al. Am J Kidney Dis. 2003)

それだけでなく、心臓の機能が高まったり、透析の効率がよくなったりと、運動療法にはさまざまなメリットがあることが実証されています（93ページの表参照）。

実際、虚血性心疾患《しっかん》（狭心症・心筋梗塞など）のある透析中の患者さんが運動療法を行うと、*　**全死亡率・心死亡率（心臓病が原因となった死亡の割合）ともに30％以上も低下した**という報告もあり、心臓の機能が高まる効果がはっきりと示されています。

＊「腎疾患患者の生活指導・食事療法に関するガイドライン」（日腎会誌39: 1-37, 1998.）

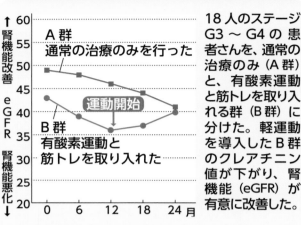

慢性腎臓病の患者さんが運動を始めるとクレアチニン値が下がり腎機能値「eGFR」も改善した研究結果が続々

運動療法で腎機能が改善する - ❶

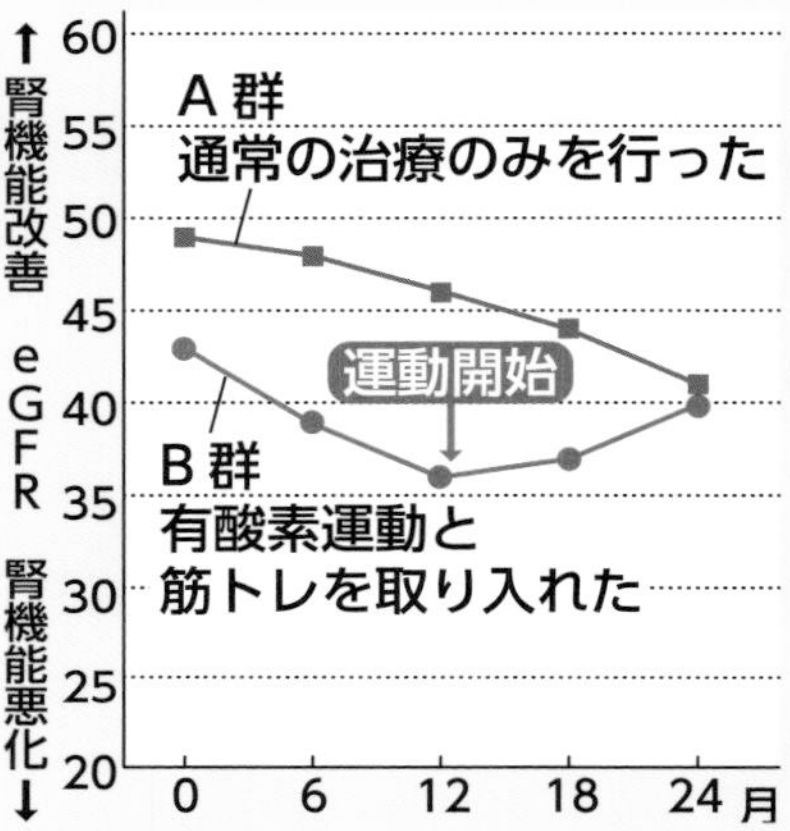

18人のステージG3～G4の患者さんを、通常の治療のみ（A群）と、有酸素運動と筋トレを取り入れる群（B群）に分けた。軽運動を導入したB群のクレアチニン値が下がり、腎機能（eGFR）が有意に改善した。

(Greenwood SA, Koufaki P, Marcer TH et al. Am J Kidney Dis. 2015)

腎臓《じんぞう》リハビリの運動療法は、慢性腎臓病のどのステージの患者さんにも、効果を現します。世界各国で効果を裏づける研究結果が続々と報告されているので、紹介しましょう。

イギリスでステージG3～4の慢性腎臓病の患者さんを対象に行われた試験では、通常の治療だけを受ける人（A群）と、通常の治療に加えて1回40分の有酸素運動＋筋トレを行う人（B群）を比較しました。運動を始めて1年の間に、A群は腎機能が低下しつづけたのに対し、B群は**クレアチニン値が下がり、腎機能の指標であるeGFRの値が改善**して

運動療法で腎機能が改善する - ❷

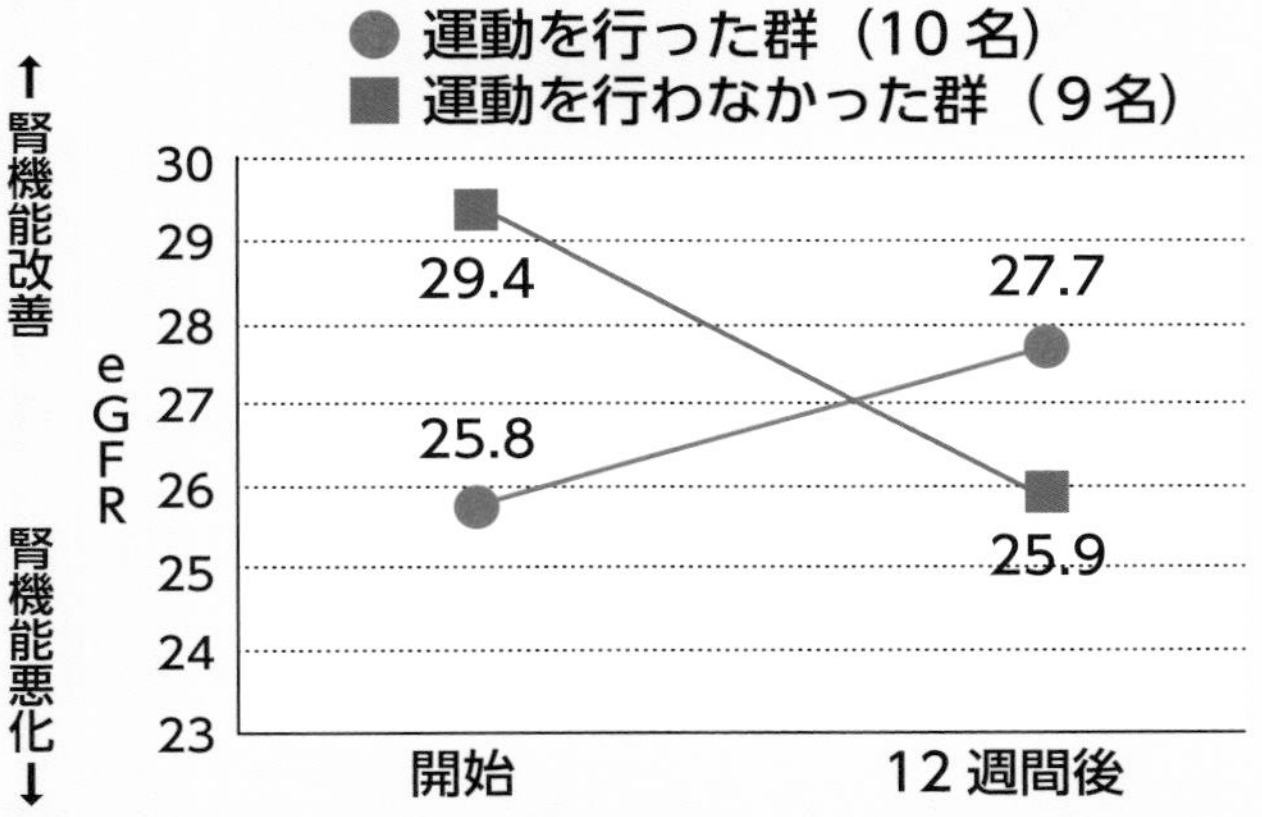

肥満で慢性腎臓病（保存期）の患者さんを運動を行うグループと行わないグループの2群に分け、12週間後に比較したら、運動を行ったグループで腎機能が有意に改善した。

(Baria F. et al. Nephrol Dial Transplant 29: 6857-67, 2017)

いきました（右ページのグラフ参照）。

また、ブラジルでの試験では、肥満症で保存期（人工透析導入前）の慢性腎臓病の患者さんを、運動をしないグループと、1回30分のウォーキングマシンによる運動を週3回行うグループに分けて比較しました。すると、12週間後には、**運動したグループはeGFRが有意に改善**していたのに対し、運動をしなかったグループは腎機能が低下していました（上のグラフ参照）。

このほかにも、同様の研究結果が続々と報告されており、運動療法によりクレアチニン値やeGFRが改善すれば、尿たんぱくの減少にもつながります。軽い運動で腎機能が改善することが科学的に明らかになり、腎臓リハビリの効果が証明されたわけです。

ステージG3〜5の慢性腎臓病の患者さんが運動療法を始めたら総死亡率が下がり透析導入も抑制できた

慢性腎臓《じんぞう》病のステージがG3以降、特にG4、G5に進行すると、場合によっては人工透析が検討されます。腎機能が10％以下になったときが透析導入の目安とされていますが、実際の診療では、血清クレアチニン値、体液・消化器・循環器・神経・血液・視力などの症状、日常生活障害度（日常生活にどれくらいの障害があるか）を点数化して判断されます（厚生労働省「透析導入基準」）。

腎機能を肩代わりする腎代替療法としては、人工透析のほか

透析導入基準（厚生労働省）

以下３つの項目の合計点数が 60 点以上となった場合に透析導入適応となる。

1. 血清クレアチニン値

8 ミリグラム以上：30 点
5 〜 8 ミリグラム ：20 点
3 〜 5 ミリグラム ：10 点

2. 症状

次のうち 3 項目で 30 点、2 項目で 20 点、1 項目で 10 点
①水の貯留、②体液の異常、③消化器症状、④循環器症状、⑤神経症状、⑥血液異常、⑦視力障害

3. 日常生活障害度

起床できない（高度）：30 点
著しい制限（中等度）：20 点
運動・労働ができない（軽度）：10 点

運動療法で総死亡率が低下・透析導入を抑制

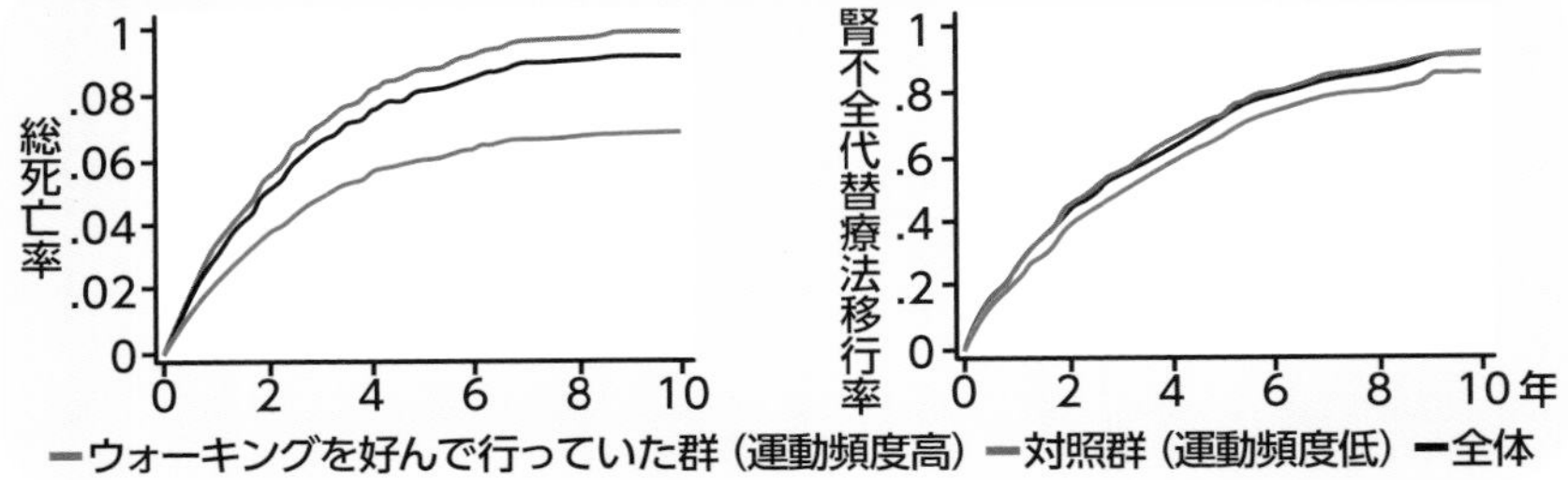

に腎移植もありますが、日本では腎臓提供者（ドナー）に登録している人が少ないのが現実で、多くは透析導入となります。

透析になれば、週に何回かは透析に時間が取られることから、生活が大きく変化します。人によっては仕事に差し支えが出たり、精神面での負担を感じたりします。

しかし、早々にあきらめる必要はありません。**運動療法を行って、透析導入を抑制できたという研究報告が多数あります。**

例えば、*台湾で行われたステージG3～5の慢性腎臓病の患者さん6000人以上を10年間追跡調査した研究では、運動習慣（定期的なウォーキング）を持つ患者さんのほうが、その期間中の**総死亡率が33％も低くなるばかりでなく、末期腎不全から透析や腎移植といった腎代替療法への移行率が21％低くなっ**たと報告されています（グラフ参照）。

ステージG3～5になっても、なるべく早く腎臓リハビリを始めれば、それだけ透析の導入を先延ばしすることができ、回避できる可能性もあるのです。

＊Chen I-Ru, et al. Association of walking with survival and RRT among patients with CKD stages 3-5, *Clin J Am Soc Nephrol*. 2014

12 運動療法を行うと腎機能が高まり、心機能の改善など の効果が望めるとわかり、国も健康保険の適用を承認

腎臓《じんぞう》リハビリの運動療法を行うと慢性腎臓病の患者さんの衰えていた体力が回復し、腎機能が改善する効果が得られます。では、「体力」とはなんでしょうか。筋肉量や筋力のことでしょうか。確かに運動で筋肉がつけば体力も向上しますが、腎臓リハビリの軽い運動だけでモリモリと筋肉がつくわけではありません。

腎臓リハビリでつく「体力」は、「生きていくうえで心身にかかる負荷に耐えられる能力」、つまり、「持続して動ける能力」のことといえるでしょう。

持続して動ける能力のことを「運動耐容能」といい、「最高酸素摂取量」（体の中で使うことができる酸素の量が最大どれくらいあるかを示す数値）が指標として用いられ、これが高いほど運動耐容能が高いとされます。人工透析中の患者さんを、運動療法を行うグループと、行わないグループに分けて3～10ヵ月比較した試験では、運動をしなかったグループは最高酸素摂取量が1・7％減少したのに対し、運動したほうのグループはなんと25％も増えたという結果が出ています。*

＊ Smart N, Steele M: Exercise training in haemodialysis patients: A systematic review and meta-analysis. *Nephrology* 16: 626-32, 2011.

つまり、運動療法で運動耐容能が向上したのです。

人間にとって、持続して動ける能力（運動耐容能）という意味での体力とは、**「生きる力」**にほかなりません。腎臓リハビリの運動療法は、慢性腎臓病の患者さんの「生きる力」を回復させる手段であるといえるでしょう。

実際、運動療法を行った透析中の患者さんに現れた効果を見ると、心臓の機能が高まったり、睡眠の質がよくなったり、ADL（日常生活動作）が改善したり、さらには死亡率が低下したりと、生きる力が向上したことを示す項目がずらりと並んでいます（表参照）。

この効果は国にも認められ、2016年、**eGFRの値が30未満の糖尿病性腎症の患者さんに対する腎臓リハビリの運動指導が、世界で初めて健康保険の適用となりました。さらに、2018年には、eGFRの値が45未満の糖尿病性腎症の患者さんに対しても、健康保険が適用になりました。**

運動療法の12の効果

1. 酸素摂取量が増える
2. 心臓の機能が高まる
3. 不整脈が改善する
4. 低栄養状態が改善する
5. 貧血が改善する
6. 睡眠の質がよくなる
7. 不安・うつが改善する
8. QOL（生活の質）が改善する
9. ADL（日常生活動作）が改善する
10. 前腕静脈のサイズが広がる（透析がスムーズになる）
11. 透析の効率がよくなる
12. 死亡率が低下する

＊表：上月正博編著『腎臓リハビリテーション』（医歯薬出版）より引用・改変

ステージG3〜4の慢性腎臓病の患者さんが運動療法を行ったら動脈硬化が改善し、心血管病のリスクも低減

腎臓《じんぞう》リハビリの運動療法は、すでに心血管病（心筋梗塞《こうそく》・脳卒中など）を併発している人ばかりではなく、慢性腎臓病の患者さんが心血管病を発症しないよう、リスクを低減するためにも有効です。

ステージG3〜4の保存期（透析導入前）の患者さんが、12ヵ月間有酸素運動をしたところ、**動脈硬化が改善**されたという報告や、G2〜4の保存期の患者さんが48週間にわたって有酸素運動をしたところ、**血液中の悪玉（LDL）コレステロールや中性脂肪が減少した**という報告があります。[*1][*2]

動脈硬化で血管の柔軟性が失われれば血管が切れやすくなります。血液中に悪玉コレステロールや中性脂肪が増えると、血管がつまる原因となります。これらの心血管病のリスクを高める要因を、運動療法で低減できるのです。

腎機能を改善するとともに心血管病を回避するには、**できるだけ早い段階から腎臓リハビリの運動療法を始めることが重要**です。

*1 Mustata S et al: Effects of exercise training. *International Urology and Nephrology* 43, 1133-41, 2011.

*2 Headley S et al: Exercise training improves HR responses and VO2peak in predialysis kidney patients. *Medicine and Science in Sports and Exercise* 44: 2392-99, 2012.

腎臓リハビリの始め方

第5章

クレアチニン値が下がる！
透析導入を先延ばしできる！
無理なく試せる軽度の運動
東北大学病院式
「腎臓リハビリ」

激しい運動は腎血流を減らし腎機能低下を招くため、軽度の運動を習慣化して行う「腎臓リハビリ」が最高

「健康のためには有酸素運動をしたほうがいい」とよくいわれます。有酸素運動は、酸素を継続的に使い、体に蓄えられた体脂肪をエネルギーに変えていく運動です。ウォーキングやゆっくりとした自転車こぎなどがこれに当たります。体脂肪を使うため、減量や、悪玉（ＬＤＬ）コレステロール・中性脂肪を減少させて高血圧・動脈硬化の改善が期待できます。

一方の無酸素運動は、短時間で大きな力を出すために酸素をほとんど使わず、筋肉内のグリコーゲンという糖質をエネルギーとして使う運動で、重量あげ、ダンベルを使った筋トレなどがその例です。

慢性腎臓《じんぞう》病の患者さんには、軽い有酸素運動が最適です。無酸素運動をすると筋肉に血液が集まって、腎臓の血流が50～75％も減り、腎臓にダメージを与えることがわかっているからです。さらに、交感神経（心身が緊張状態にあるときに働く自律神経）を高ぶらせるため、腎臓の血管が収縮して腎臓に悪影響を及ぼす

ほか、血圧が急上昇するため、心臓や血管に大きな負荷がかかって、心血管病（心筋梗塞《こうそく》・脳卒中など）のリスクが高まります。また、有酸素運動でも、息が上がるほどの強度で行えば、無酸素運動と同じリスクがあるので注意が必要です。

しかし、筋力が低下しがちな慢性腎臓病の患者さんには、実は無酸素運動も必要です。なぜなら、無酸素運動には筋肉を増強する効果があるからです。筋肉量が増えれば体を動かしやすくなり、有酸素運動もより効果的に行うことができるようになるというメリットもあります。

「腎臓リハビリ」で行う**「らくらく筋トレ」**（40ページ）は、呼吸を止めず、自分の体の重み以上の負荷をかけず、心臓や血管の負担となる血圧の急上昇を防ぎながら、筋肉を増強できる運動です。筋トレとしては運動強度が低いかもしれませんが、日常生活を維持していくための筋力をつけるには十分です。これに、有酸素運動である**「腎臓活性らくらくウォーキング」**（38ページ）を行えば、腎臓や心臓に負担をかけることなく腎機能を活性化する最高の効果が得られます。

筋トレやウォーキングの前に**「腎臓活性ストレッチ」**（17ページ）をウォーミングアップとして行い、**「腎臓体操」**（30ページ）で全身のコンディションを整える腎臓リハビリは、腎機能の改善には最適な運動療法なのです。

最高血圧180ミリ以上、急性腎炎、高血糖など腎臓リハビリを試してはいけないのはこんな人

腎《じん》機能の改善に効果の高い腎臓リハビリの運動療法ですが、残念ながら、すぐに取り組むことができない場合もあります。

まず、最高*（収縮期）血圧が180ミリ以上、最低（拡張期）血圧が110ミリ以上の重症（Ⅲ度）の高血圧の人です。腎臓リハビリの運動療法は比較的負荷が小さいですが、血圧が全く上昇しないわけではないので、重度の高血圧の人は、心血管病（心筋梗塞《こうそく》・脳卒中など）の発作が起こる危険性があるからです。まずは薬物治療・食事療法で血圧を下げ、主治医と相談してから運動を始めます。

糖尿病で空腹時血糖値が250ミリグラム以上の人は、運動をするとさらに高血糖になることがあります。

運動療法をさけるべき人

- ●重度（Ⅲ度）の高血圧
- ●糖尿病で250ミリグラム以上の高血糖
- ●BMIが30以上の肥満
- ●急性腎炎
- ●急激に腎機能が悪化している
- ●心臓病（心不全・狭心症など）で状態が不安定
- ★ネフローゼ症候群、慢性糸球体腎炎の人は、症状が落ち着いてから主治医と相談が必要

＊家庭で血圧測定した場合は最高160ミリ、最低100ミリ以上が重度（Ⅲ度）の高血圧となる。家庭で測ると数値が低く出るため。

血糖値が500ミリグラム以上になると吐きけや嘔吐《おうと》などの症状が現れたり、昏睡《こんすい》に陥ったりして危険なので、運動はさけます。主治医に相談し、血糖値をコントロールしたうえで、運動療法に取り組む必要があります。

このほか、BMI*が30以上の肥満症の人は、運動で関節を傷めたり、心臓に負担がかかったりするため、食事療法による減量が先決となります。また、急性腎炎や、急激に腎機能が悪化している場合、心臓病（心不全・狭心症など）で状態が不安定な場合は、優先してその治療を行い、運動療法はさけます。

ネフローゼ症候群（重度のたんぱく尿が出て強いむくみが起こる症状。76ページ参照）は、かつて安静第一とされていましたが、「腎臓リハビリテーションガイドライン」（日本腎臓リハビリテーション学会）では、治療により症状が落ち着いた状態であれば過度に運動を制限する必要はないとされています。IgA《アイジーエー》腎症を含む慢性糸球体腎炎（75ページ参照）の場合も、運動は制限しないとされています。ただし、どちらも主治医と十分に相談のうえ、運動の種類や強度などを決めるようにしましょう。

透析中の運動療法の場合も、注意点がいくつかあり、合併症との兼ね合いもあるので、必ず主治医に相談してから行いましょう（8章を参照）。

＊BMI: Body Mass Index（体格指数）。体重（キロ）を身長（メートル）×身長（メートル）で割った数値。25以上で肥満。例：体重64キロ、身長160センチの場合、60÷（1.6×1.6）＝25で、肥満となる。

腎臓リハビリは軽度の運動を無理なく行えばよく、頑張りすぎない、挫折しても再開すれば誰でも気軽に試せる

腎臓《じんぞう》リハビリの運動療法を試すうえで大切な、「軽い運動」を、「無理なく」「続ける」ためのポイントをあげてみましょう。

①らくな運動から始める

腎臓リハビリの「腎臓活性ストレッチ」「腎臓体操」「腎臓活性らくらくウォーキング」「らくらく筋トレ」（16ページ参照）は、組み合わせることで相乗効果を発揮しますが、最初からすべてをやる必要はありません。

体力に自信がない人や、仕事や家事が忙しかったり、透析に時間がかかったりして運動する時間が取れない人は、まずはストレッチを1種目だけ、体操を1種目だけから始めてもいいのです（ただし、ウォーキングや筋トレをする場合は、事故やケガの防止のため事前に必ずストレッチを行う）。実際に運動をしてみてきついと思ったら、もう少しらくにできる運動を試すか、回数や頻度を減らします。

「腎臓体操」（30ページ）の運動強度は着替えや立ち話などとほぼ同等の1～2メッツ*

＊安静時を１メッツとしてエネルギーを何倍消費するかを示す単位。
メッツ＝METs（Metabolic Equivalents＝代謝当量）

ツ程度、ゆっくりしたウォーキングも2メッツ程度です。最初は散歩程度から始めてもいいのです。

運動強度を測る方法にはいろいろなものがありますが、簡単なものとして、自分で感じる運動のきつさを目安にする「Borg《ボルグ》指数」があります（表参照）。

例えば、それまで運動習慣のなかった慢性腎臓病の患者さんが筋トレをする場合は、11（らくである）～13（ややつらい）くらいから始めてみましょう。

運動強度の目安（Borg 指数）

指数	自覚的運動強度	運動強度（%）
20	もう限界	100
19	非常につらい	95
18		
17	かなりつらい	85
16		
15	つらい	70
14		
13	ややつらい	55
12		
11	らくである	40
10		
9	かなりらくである	20
8		
7	非常にらくである	5
6		

（日本腎臓リハビリテーション学会『腎臓リハビリテーションガイドライン』より引用・改変）

安静時の心拍数を60拍／分、最大心拍数を200拍／分と仮定し、それに合わせた6から20までを指数として表したもの

②頑張りすぎない

全く運動しないのはよくありませんが、頑張りすぎるのもよくありません。

腎臓リハビリの運動は軽いので、つい無理をしてしまう恐れもあります。物足りなさを感じても「今日は調子がいいからもっとやろう」などと頑張りすぎないようにしましょう。きついと思ったら休んだり、らくなやり方に切り替えたりすべきですが、もっとできると思ったときは、すぐには運動時間や回数を増やさないことです。今と同程度の運動を1～2週間続けてみてからにしましょう。

逆に、あまり体調がよくないと感じる日に「60分歩くと決めたからには、やり抜くぞ」などと頑張ってはいけません。さらに体調が悪化すれば、その後の継続も危うくなります。「体調が悪いな」と思ったらそこで運動をやめ、休みましょう。自分の体調と相談するのも、腎臓を守る技術のうちです。

③休んでも落ち込まない

運動をずっと継続できたらすばらしいですが、続かなくても、自分を責めたり、落ち込んだりする必要はありません。**やめたきり二度と運動を始めなければ「挫折《ざせつ》」ですが、たとえ間があいても再開すれば、それは「休み」になります。**休みの間に、らくに楽しく続ける方法はないか、考えてみるのも一手です。

例えば、日曜に好きなテレビドラマを見るときは「かかとの上げ下ろし」、燃えないゴミ出しの日はウォーキングなど、曜日とひもづけて習慣にしたり、専用の記録ノートを作ったり、壁に運動記録を貼《は》り出したりするのもいいでしょう。

症例報告

第6章

クレアチニン値が下がった！尿たんぱくが減った！35年も腎機能を維持！透析導入を防げた！驚きの症例集

3ヵ月の実践でステージG3aの慢性腎臓病がG2に回復！重い高血圧も肥満も改善！人工透析を見事に回避

「1日に2万5000歩のウォーキングをしている」という人がいたら、その健脚ぶりに誰もが驚くのではないでしょうか。ましてやその人が脳梗塞《こうそく》（脳の血管がつまる病気）で倒れた経験があり、しかも慢性腎臓《じんぞう》病の患者さんであると知ったら、もっと驚くことでしょう。

これは、宮城県在住の田中聡史《たなかさとし》さん（71歳・仮名）の話です。

田中さんは、20代の若さですでに高血圧でした。寒い時期には最高血圧が200ミリ（正常は130ミリ未満）、最低血圧が100ミリ（正常は85ミリ未満）以上になることも珍しくなく、夏場でも最高血圧が160～180ミリになることがザラだったそうです。最高血圧が140ミリ以上か最低血圧が90ミリ以上であれば高血圧と診断されるので、田中さんはかなり重い高血圧症だったことになります。

しかし、自覚症状が何もないため、危機感なく過ごしていました。医師から「血圧を下げないと危険ですよ」といわれ、降圧薬を処方されていましたが、若いころからの高血圧で160ミリや180ミリ程度の数字には慣れっこになってしまっていて、あまり真面目に飲んでいなかったそうです。

降圧薬をきちんと飲みはじめたのは40歳になってから。そのころは身長168センチに対して体重80キロの肥満で、脂質異常症（血液中の悪玉コレステロールや中性脂肪が過剰な状態）も発症しており、これからは少し気をつけなくてはいけないと思ったからでした。

ところが、59歳のときのことです。突然、田中さんは意識を失って倒れました。高血圧と脂質異常症が原因となって脳梗塞の発作を起こしたのです。病院に運ばれて入院となり、幸いにも一命は取り留めましたが、左半身にはマヒが残ってしまったのです。

さらには、入院時に各種の検査を受けたさい、腎機能がかなり低下していることも判明しました。

そのときの田中さんの**ｅＧＦＲの値は50、すでにステージＧ３ａでした。腎機能が健康な人の半分にまで低下**していたのです。医師からは「このまま腎機能が低下すると、**人工透析の導入も考えなくてはいけなくなる**」といわれました。

人工透析になる可能性があると聞いてビックリした田中さんですが、実は、思い当たることがありました。脳梗塞で倒れる7～8年前、50歳を過ぎたころから、ときどき体にむくみを感じていたのです。そういえば足がパンパンにむくんだり、顔のむくみがなかなか取れなかったりしたことがあったと思い出したのです。むくみがあっても「疲れだろう」「水分のとりすぎかな」と、あまり気に留めてこなかったのです。

脳梗塞の発作をきっかけに、高血圧・脂質異常症に加え、慢性腎臓病の治療が始まりました。医師から、きちんと治療すれば腎機能をこれ以上悪化させずにすみ、人工透析を回避できると聞いて、田中さんは熱心に治療に取り組みはじめました。薬物療法と食事療法に加え、医師のすすめで、左半身マヒのリハビリも兼ねて、腎臓リハビリの運動療法を始めました。

毎日のウォーキングが習慣に

自宅ではテレビを見ながら「らくらく筋トレ」（40ページ）などを行いますが、運動の中で一番熱心に取り組んだのがウォーキングでした。マヒした左足を引きずるように歩くためゆっくりしたペースで、自宅近くの広い公園を巡ります。始めてみたら毎日のウォーキングがすっかり習慣になって、たまに休むと落ち着かないほどだそうで、仕事をリタイアしてからはだんだん距離が延び、今では毎日、午前と午後に分けて、1日計2万5000歩を歩くようになったのです。

腎臓リハビリの運動療法を始めて3ヵ月ほどたったころ、田中さんは、明らかに降圧薬の効きめがよくなったことに気づきました。以前は薬をきちんと飲んでも最高/最低血圧を140~160/90ミリに下げるのがやっとだったものが、120/60ミリくらいにコントロールできるようになったのです。

それとともに、**eGFRの値が60**に回復しました。**慢性腎臓病がステージG3aからG2へと回復**したのです。また、現在は**体重がピーク時から12キロも減って、68キロを維持**しています。左半身のマヒはまだ少し残っているものの、マヒしたために細くなっていた左足にも、ウォーキングで筋肉がついてきました。

「2万5000歩は歩きすぎでは?」と思われるかもしれませんが、田中さんのウォーキングは、息切れするような速歩ではありません。左足にマヒがあるせいもありますが、ゆっくりとしたペースのウォーキングです。無理なく継続できるウォーキングは、腎臓リハビリの運動療法として最適といっていいでしょう。

ステージG3aの慢性腎臓病になったが35年後の今も残された腎機能を維持！血尿も尿たんぱくも出なくなった

石原悦子《いしはらえつこ》さん（75歳・仮名）が28歳のときのことです。突然、血尿が出たそうです。目で見てわかるほどの真っ赤な尿でした。

驚いて受診したところ「特発性腎《じん》出血の疑い」との診断でした。特発性腎出血は原因不明の血尿のことをいい、しばらくすれば自然に治まることも多い症状です。ただ、石原さんの場合は、1週間ようすを見ても、なお血尿が続きました。医療機関でさらにくわしい検査をしたところ、左腎から出血していることがわかり、止血薬を処方されました。しかし、その後も目で見てわかるほどの血尿が約1年間続き、尿たんぱくが出ることもありました。

この経験から腎臓に注意を払うようになった石原さんは、定期的に受診して腎臓の検査を受けていました。しかし、40歳のとき、医師にすすめられて腎生検（腎臓の組織の一部を取り顕微鏡で評価する検査）を受けたところ、**慢性糸球体腎炎で慢性腎臓病のステージG3a**であると診断されました。いつのまにか腎機能が著しく低下していたのです。

石原さんはもともと、最高血圧がいつも100ミリ程度という低血圧で、高血圧の治療は不要でした。血糖値も正常で糖尿病の心配もありません。それでも、万が一、高血圧や糖尿病になり、そこから腎不全になって透析導入になるのはさけたいと、減塩や栄養バランスに配慮した食事療法を徹底しました。そのうえで治療の柱となったのは、運動療法です。

最初は水泳教室に通いましたが、主治医から「体を冷やすとよくないので、プールに入るのは30分以内」といわれ、水泳はやめました。その代わり、慢性腎臓病には腎臓リハビリの運動療法、特にウォーキングがいいと聞き、日常生活の中でよく歩くよう心がけました。なるべく車を使わず、自分の足で歩くようにしたのです。実は、石原さんには、「腎臓病でこのまま透析になるのはさけたい。そして何よりも、足腰が弱らないようにしたい」という強い思いがありました。

それというのも、石原さんは、若いころから登山が好きだったからです。もともと子育てが一段落したら、思う存分、山登りを楽しみたいと思っていたそうです。

そこで、日常生活でよく歩くようにするのに加えて、運動療法を兼ねて登山をしてもいいかどうか、主治医に確認してみました。すると、「クタクタに疲れるほどでなければいいでしょう」と許可が出て、ホッとしたそうです。山登りは一見きつい運動に見えますが、体力に合わせて無理のない計画を立て、ゆっくり登れば、腎臓リハビリの運動療法として行うことは可能です。

こうして石原さんは、慢性腎臓病の薬物療法・食事療法を続けながら、腎臓リハビリの運動療法を兼ねて念願の登山を始め、仕事の合間にも、退職してからも続けました。石原さんにとって登山は治療の一環ではありましたが、それ以上に「楽しみ」でした。しかも、明確な「目標」がありました。

その目標とは、「『日本百名山』のすべてに登ること」でした。「日本百名山」とは、文筆家・登山家の深田《ふかだ》久弥《きゅうや》氏の同名の随筆に登場する100座の山のことです。「品格・歴史・個性を兼ね備えた1500〓《メートル》以上の山」という基準で選ばれた、日本を代表する名山がそろっています。

石原さんはこの目標に向かってコンスタントに、ただし無理のないペースでの登山を続け、69歳のとき、ついに100番めの山となる南アルプスの聖岳《ひじりだけ》（長野県・静岡県県境・標高3013〓《メートル》）への登頂を果たしたのです。

70歳を超えてからは、以前のように1日10時間歩くような登山はしなくなった

日本百名山のすべてに登頂

ということですが、それでも軽めの山歩きは続けています。おかげで、慢性腎臓病ではない同年代の友人と比べても、足腰がしっかりしていて体力もあり、若々しいとほめられるそうです。

さて、このような運動を続けた石原さんの病状は、どう変化したでしょうか。現在の腎機能を表す**eGFR値は57、ステージG3a**で変わりはないものの、**慢性腎臓病と診断されてから35年が経過した現在も、残された腎機能を維持しています。**百名山の登頂達成が間近になったころから**血尿は見られなくなり、尿たんぱくも出ないか、出てもわずかな値**となりました。これは、慢性腎臓病の患者さんの自己管理として、非常に優秀です。

腎臓リハビリの運動療法は「続けること」が大切ですが、登山という運動療法を趣味として、「百名山に登る」という明確な目標を持ち、楽しみながら行ったことが、石原さんの長続きの秘訣《ひけつ》でしょう。

そして、運動によってこれほどすばらしい成果が得られるということを、石原さんのケースから学ぶことができます。

eGFRの値が16に落ちG4の慢性腎臓病で透析目前だったが、運動療法で18前後に回復し、2年も透析を回避

佐久間《さくま》陽子《ようこ》さん（70歳・仮名）は50代になる前から不整脈、脂質異常症、高尿酸血症に悩まされ一時は入院して治療を受けたこともありました。約20年前からは心臓の薬、コレステロール値や尿酸値を下げるための薬を処方されています。

肥満で病状が悪くなると聞いて、食事には気を遣うようになりました。きちんとエネルギー量を制限し、塩分をとりすぎないよう減塩食を心がけてきました。そのかいあって入院するようなことはなくなりましたが、徐々に腎機能が低下していくのを止めることができず、むくみやだるさなどの症状が続いていました。

そして2年前、主治医から「**eGFRの値が16まで低下**しています。**近い将来、人工透析が必要になる**と思ってください」といわれました。GFRの値が16ということは腎臓の機能が16％ほどしか残っていないということで、**ステージはG4**となります。

明るい性格で、病気にもめげず生活習慣を整え、食事療法を続けてきた佐久間

さんでしたが、「これからは食事療法に加え、透析もしなくてはならないのか」と、気持ちが落ち込んでしまいました。それというのも、当時の佐久間さんには、「透析＝安静第一」という思い込みがあり、これまで家事をてきぱきと行い、ショッピングや家族・友人との旅行などで楽しく充実していた生活が、静かに引きこもる生活に一変してしまうと考えたからです。

そんなとき、たまたま「腎臓リハビリの運動療法で、腎機能が改善する」という話を耳にしたのです。佐久間さんが「自分にもできそうだ」と思える程度の軽い運動をしただけで、腎機能が回復したり、透析導入を回避したりできることが、最新の研究で判明したという情報でした。

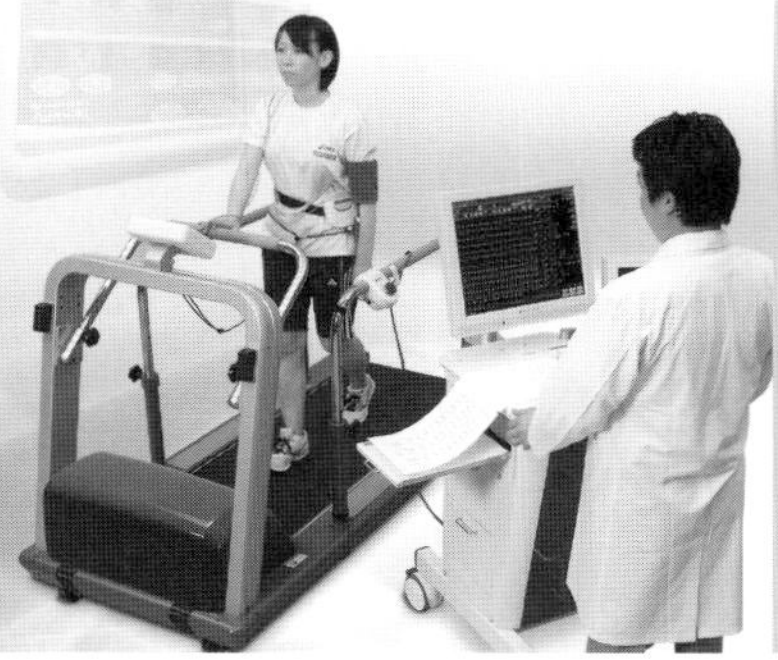
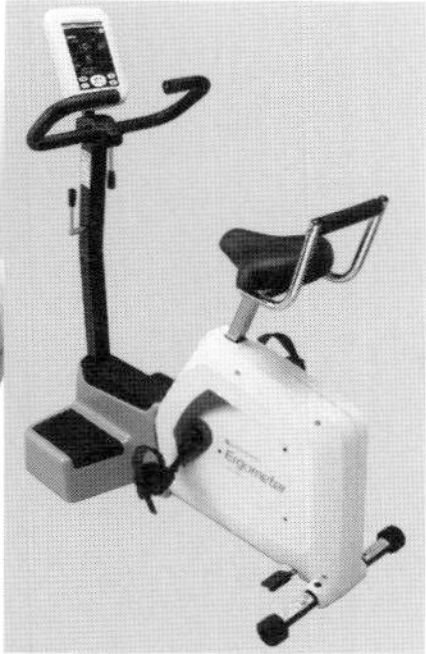

トレッドミルを用いた運動負荷試験（左）
自転車エルゴメータ（右）

それがきっかけで東北大学病院を訪れた佐久間さんは、まず、現在の腎臓の状態を調べるくわしい検査を受け、そのうえで、腎臓リハビリの運動療法を取り入れることができるか、できるとしたらどの程度の強度の運動がいいかなどを調べるため、「運動負荷試験」を受けました。

運動負荷試験は、トレッドミル（ウォーキングマシン）

や自転車エルゴメータ（自転車のペダルこぎを行うマシン）を用いて実際に運動を行い、心拍数や最高酸素摂取量（体の中で使うことができる酸素の量が最大どれくらいあるかを示す数値）などを調べるもので、最適な運動量・運動強度を調べるために行います。

ちなみに、腎臓リハビリの運動療法では、試験ができる設備がある場合は、運動療法を導入する前に運動負荷試験を行います。設備がなく、運動負荷試験ができない場合は、無理をしない程度の強度の運動（ふだんのスピードで歩く歩行程度）が目安となります。

歩数計で目標達成が励みに

運動負荷試験の結果、佐久間さんは、散歩や自転車こぎ程度の運動を行っても問題がないことがわかりました。そのことを伝え、「慢性腎臓病だからと安静にする必要は全くありません」「体操やウォーキングなどの軽い運動を積極的に行えば、腎機能の低下を防ぐ効果が得られ、体力を維持できます」と説明したところ、佐久間さんの表情がパッと明るくなり、「では、歩数計を買います」と、早速、意欲を見せてくれました。

それから佐久間さんは歩数計をつけ、毎日、朝食後に「腎臓活性ストレッチ」（17ページ）や「腎臓体操」（30ページ）、その後に「腎臓活性ウォーキング」（38ページ）を行うようになりました。ウォーキングの目標は1日の合計で7000歩とし、さらに、毎日の体重と歩数も日記に記録して、変化をチェックすることにしました。

歩数計の記録から、10分歩けば1000歩になることがわかったので、少し足りなければ夕方に20〜30分追加で散歩をして、目標を達成しています。歩数計で目標が目に見えることが励みになり、達成すれば「できた！」と自信がみなぎるそうです。ただ、天気が悪いときなどは目標の歩数を歩かなくてもいいと指導を受けており、無理なく運動を続けるコツもつかめてきたようです。

佐久間さんは、朝の体操とウォーキングを始めて8週間たったころから、疲れを感じることなく一日を過ごせるようになりました。そして、最近の**クレアチニン値は2・1、eGFR値は18前後で安定し、悪化の兆しは見えません**。このままの状態が続けば、透析を導入せずにすむ可能性は大いにあります。

最初は透析をさけたい一心で運動を始めた佐久間さんでしたが、「運動すると、こんなに元気になるんだ」と実感できたことで、運動自体が楽しみになり、続ける自信もついて、いきいきと生活できるようになったのです。

ステージG5の末期腎不全が見つかり透析を宣告されたが、運動を始めて悪化を抑え透析導入の先延ばしに成功

農業を営む佐々木《ささき》勇二《ゆうじ》さん（65歳・仮名）は、60歳で現役を引退、農作業はすべて息子さんにまかせ、悠々自適の毎日を送っていました。

以前から高尿酸血症でしたが、61歳のとき、足の親指の激痛に襲われてかかりつけ医を受診しました。痛風の発作でした。高血圧症、脂質異常症の治療のために薬を服用しており、痛風の発作も初めてではなかったので、「また検査をして、薬をもらって帰ればすむ」くらいに考えていたのですが、そのときは事情が異なりました。

血液検査や尿検査を行った結果、**「クレアチニン値が2・68あり、ｅＧＦＲ値は20、ステージＧ４の慢性腎臓《じんぞう》病」**という診断が下されたのです。しかも、医師からは**「このままいけば人工透析が必要になるでしょう」**といわれました。実際、高血圧症・脂質異常症・高尿酸血症は腎機能低下の代表的な危険因子なので、佐々木さんの腎機能低下は当然の結果ともいえます。

佐々木さんは驚いて、処方された薬をきちんと飲み、塩分を控えるために味の濃い食事を控え、なるべく体を休めるようにしました。ところが、腎機能の低下がいっこうに止まりません。2年前の検査時には、**血清クレアチニン値が4・02、eGFR値は12・8となっていました。ステージG5、末期腎不全の状態**で、医師からは「この状態では腎臓の働きが不足していて、透析をする必要があります。近くの透析施設を紹介しましょう」といわれました。

以前から感じていた重だるい疲れや息切れ、むくみなどの症状が、透析をすれば改善するとも聞きましたが、なかなか決心がつきません。透析となれば、週に何日か、何時間かの時間を取られるということもありますが、何よりも、当時の佐々木さんは、「透析になったら好きなことが何もできない、不自由でつらい生活になる」と落ち込んでしまったのです。

そんなとき、佐々木さんは「腎臓リハビリの運動療法を行えば腎臓を守れる」という情報を得る機会がありました。なんとなく「慢性腎臓病は体を休めなくてはいけない、運動してはいけない」と思っていた佐々木さんは、目からウロコが落ちる思いで、早速、東北大学病院を訪れたのです。

現在の腎機能を調べるためのさまざまな検査とともに、佐々木さんの体力を測るため、「運動負荷試験」が行われました。自転車エルゴメータ（113ジペー参照）を使って実際に運動を行い、心拍数や血圧の変化、最高酸素摂取量（体の中で使うことができる酸素の量が最大どれくらいあるかを示す数値）などを測定して、腎臓リハビリの運動療法を取り入れることができるかどうか、どの程度の強度の運動が最適かを調べる試験です。その結果、若いころから農作業を続けてきた佐々木さんは、比較的体力があり、腎臓リハビリの運動療法程度の軽い運動を行うには、なんら問題がないことがわかりました。

佐々木さんには、慢性腎臓病の治療の常識が、現在は180度転換しており、「安静第一」はむしろ腎機能を低下させることや、腎臓リハビリの運動療法で軽い運動を習慣化すれば、体力を維持することができ、腎臓を守ることにつながることを説明しました。そのうえで、血圧や体重を毎日測定すること、無理をしない程度の軽い運動を続けることを指導したのです。

佐々木さんは、生まれて初めて歩数計を身につけて1日の歩数チェックを始め、毎日、血圧・体重とともに歩数の記録も始めました。同時に、すべて息子さんにまかせていた農作業を、少し手伝うことにしたのです。

意識して歩数を増やし、軽い農作業を始めてから、佐々木さんの病状は安定し

軽い農作業を再開して好調

ていきました。運動を始めて6週間後には、高かった血圧が下がりだし、今では高血圧が正常に、体重も標準体重にコントロールできています。尿毒症の症状を抑えるため経口吸着炭薬（81ページ参照）は服用していますが、**クレアチニン値が3・67、eGFRの値は14**と安定し、それ以上の腎機能の悪化が防げています。

佐々木さんは、体を休めていたときよりも、2年前に農作業を再開してからのほうが体重も血圧も安定し、疲れも減って体調がよくなった実感があるといいます。さらに、軽い農作業で体を動かすと気持ちが明るくなり、「いずれ透析はさけられないだろう」と思いながらも、以前のように落ち込むことはなくなったそうです。

確かに、ステージG5になると、遅かれ早かれ透析導入になると予想されますが、ここで体力を維持しておくことは、透析をできるだけ先延ばしするためにも、透析をしながら仕事や日常生活を快適に続けるためにも、また、透析後の疲労感などの症状を軽減したり、寿命を延ばしたりするためにも重要なのです。

コラム

腎臓リハビリは心にも好影響

慢性腎臓病が進行すると「濃い味つけはダメ」「たんぱく質をとりすぎてはいけない」「カリウムの多い果物は NG」……と、食事での制限が何かと増えていき、気持ちが落ち込む患者さんが少なくありません。人工透析導入となれば、明るい見通しが持てずに、すっかりふさぎ込んでしまう人もいます。

かつて、慢性腎臓病に対する運動療法の効果が知られていなかったころは、「慢性腎臓病は安静第一」とされ、食事制限のほかに「動いてはダメ」も加わっていたのです。その不自由さ、つらさはどれほどだったでしょう。自分の人生を自分でコントロールできないということからくる、いらだちやつらさがあったのは間違いないでしょう。

気持ちが落ち込んだとき、ちょっと伸びをしたり散歩したりと、軽く体を動かすことで気持ちがスッキリしたという経験のある人も多いのではないでしょうか。腎臓リハビリの運動療法には、これと同じようなところがあります。ただ、腎臓リハビリの運動療法には、単なる気分転換以上に、筋力や体力がつくという身体的な効果に加え、腎機能が回復したり、それ以上の腎機能の低下を防いだりと、腎臓病に対する顕著な効果もあるわけです。

運動療法を始めて「歩ける」「動ける」「病状がよくなる」という実感を一度経験すると、精神面でも効果が現れてきます。表情が明るくなり、治療に前向きに取り組む積極性も生まれてきます。それは「自分の人生を自分の力で生きている」という実感から湧き出てくる喜びです。

実際、腎臓リハビリの運動療法を始めてから、初めての海外旅行に出かけたという患者さんもいます。透析中の患者さんで、新たに社交ダンスを始めたという人もいます。新しい挑戦ができるほどに、「心も回復」した結果といえるでしょう。

食事も重要！

第7章

エネルギー・塩分・たんぱく質・カリウム・リンはどう制限？腎臓リハビリの効果を高める「慢性腎臓病患者の食べ方」

慢性腎臓病の患者さんは1日に必要な「エネルギー摂取量」を過不足なくとるのが重要で、あなたの必要量はこれ

慢性腎臓《じんぞう》病の治療は、原因となる病気（原疾患《げんしっかん》）に対する治療と、生活習慣の改善が柱です。具体的には、**薬物療法**（原疾患や慢性腎臓病の症状に対応）、**食事療法**（腎臓の負担を減らす食事）、**生活習慣の改善**（禁煙、減量、睡眠・休養、ストレス管理など）に加え、**腎臓リハビリの運動療法**を行いながら進めます。

治療の効果を上げるには、どうすればいいでしょうか。そのカギを握っているのは、患者さん自身です。治療の意義を理解したうえで主体的に取り組めば、効果もより大きくなります。特に食事は、腎機能に対する影響が大きいと同時に、薬の効きめを左右し、生活習慣の改善につながり、運動療法の効果にも大きく影響します。慢性腎臓病の治療は長期にわたるので、楽しく豊かな食生活と腎臓病の食事療法を両立させるためにも、その内容を理解しておきましょう。

食事療法の基本は、①**減塩**、②**エネルギー調整**、③**たんぱく質調整**の3つです。このうち減塩とエネルギー調整は、慢性腎臓病を進行させるリスクとなる生

1日に必要なエネルギー量の計算

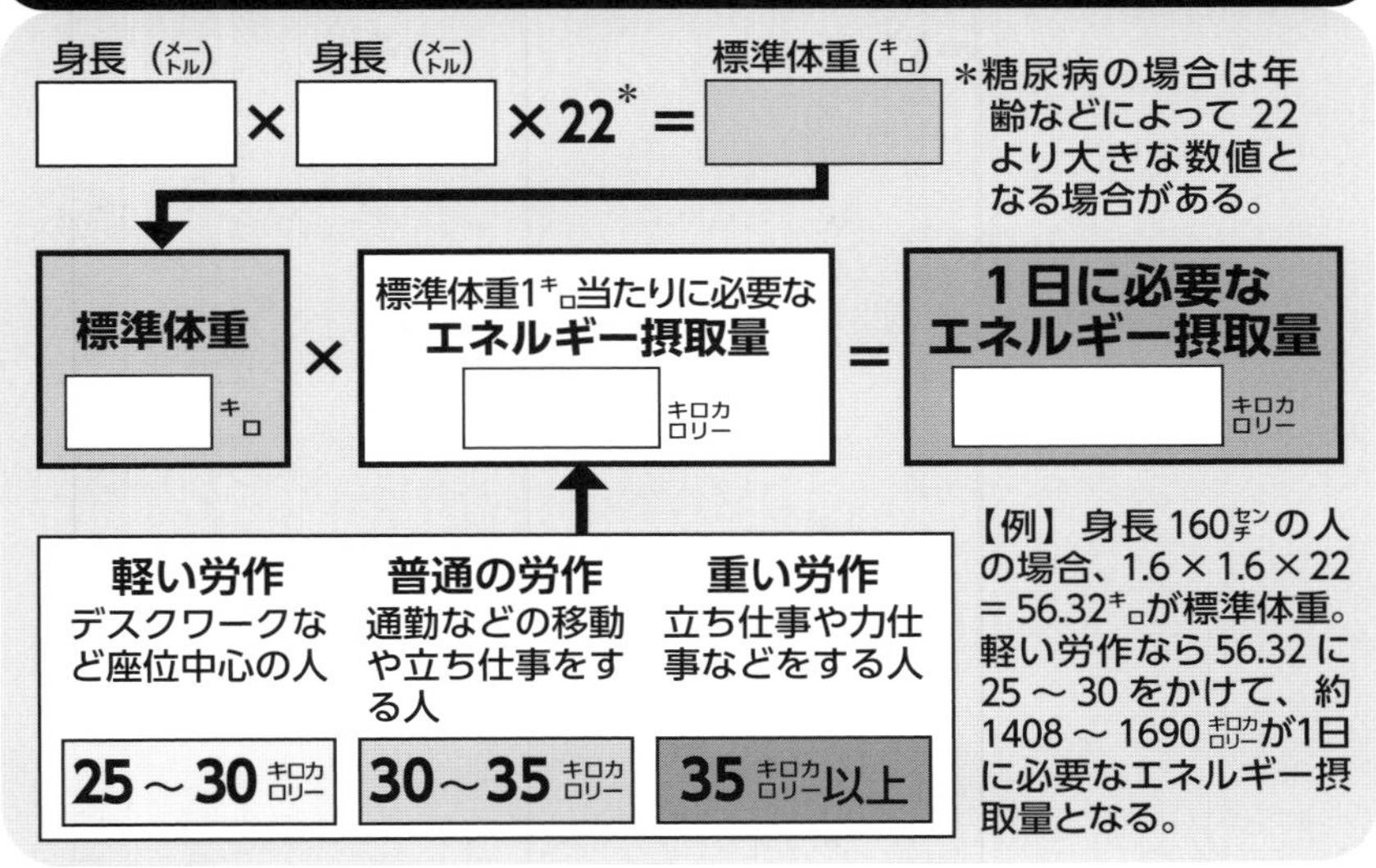

活習慣病（肥満・高血圧・糖尿病・脂質異常症など）を予防するため、ステージG1〜5までの、どのステージでも欠かせません。

ただ、**エネルギーは少なすぎてもいけません**。エネルギーが足りないと、私たちの体は筋肉のたんぱく質を分解してエネルギー源として使いはじめるため、たんぱく質が分解されてできる老廃物が増え、腎臓に負担がかかります。ステージG3以降は摂取たんぱく質の量も制限されますが、たんぱく質を減らしてもエネルギー不足では、たんぱく質を食べたのと同じことになってしまうのです。

上の表の計算式を使えば、「1日にどれくらいのエネルギーが必要か」がわかります。これを目安に、毎日の食事を見直し、エネルギーの適正量を守るようにしましょう。

塩分は6g《グラム》未満、たんぱく質体重1kg《キロ》当たり0・8g《グラム》未満など、ステージ別「塩分・たんぱく質の摂取量」一覧

慢性腎臓《じんぞう》病の食事療法で最も注意が必要なのは、塩分とたんぱく質です。

慢性腎臓病の患者さんが塩分をとりすぎた場合、腎機能が低下しているため塩分が排泄《はいせつ》されにくく、体内にたまります。私たちの体には塩分濃度を一定に保とうとするしくみがあるので、体内の水分量が増えます。水分量の増加に伴って血液量が増え、血管内の圧力が高まると高血圧となります。すると、腎臓の毛細血管が傷ついたり、負担が大きくなったりして、ますます腎機能が低下してしまうのです。水分が血管の外にまでもれ出るようになれば、むくみも起こります。

たんぱく質は筋肉や血液を作るために欠かせない栄養素で、体内で分解され利用されると老廃物（尿素窒素やクレアチニンなど）が生じます。この老廃物を排泄する役割は、腎臓だけが担っています。腎機能が低下している慢性腎臓病の患者さんがたんぱく質をとりすぎた場合、老廃物を処理する腎臓に大きな負担がかかり、それが原因で腎機能のさらなる悪化を招きます。老廃物が排泄しきれなく

なれば老廃物が体内にたまり、尿毒症の症状が現れます（63ページ参照）。

食事療法は、このような塩分やたんぱく質などの摂取量をコントロールして腎臓への負担を減らし、残された腎機能を守ることが目的です。そのため、残された腎機能に応じて、ステージごとにその内容が変わってきます（次ページの表参照）。

ステージG1～2のうちは、1日6グラム未満に減塩をするだけです（高血圧の人の場合）。ところが、G3aになるとたんぱく質、リンなど、G3bになるとカリウム、G5で人工透析導入になると水分量などの制限も必要になるなど、ステージが進むほど制限項目が増えてきます。

さまざまな制限が増えてくれば、食事の準備に手間がかかったり、家族と同じものが食べられなくなったり、外食のさいに選べない料理が出てきたりします。なるべく軽症のうちに腎臓にやさしい食事を始めたほうが得策です。

特に減塩は、慢性腎臓病に対する効果が最も大きい食事療法です。＊日本人は1日平均10・1グラムの食塩をとっており、世界的に見ても塩分摂取量が多いとされています。食生活を見直し、早いうちから薄味に慣れてしまえば、その後の食事療法が格段にらくになります。さらに、腎臓にやさしい食事は、生活習慣病（肥満・高血圧・糖尿病・脂質異常症など）の予防・改善にいい食事でもあります。

＊「令和元年国民健康・栄養調査」（厚生労働省）

慢性腎臓病の食事療法の目標

<table>
<tr><th></th><th>G1</th><th>G2</th><th>G3a</th><th>G3b</th><th>G4</th><th>G5</th></tr>
<tr><td rowspan="2">塩分</td><td colspan="6">制限 6グラム未満 3グラム以上／日</td></tr>
<tr><td colspan="2">（高血圧やむくみがなければ男性7.5グラム、女性6.5グラム未満／日）</td><td></td><td></td><td colspan="2">制限 5グラム未満 3グラム以上／日（強いむくみがある場合）</td></tr>
<tr><td>たんぱく質</td><td colspan="2">過剰に摂取しない（目安は標準体重1キロ当たり1.3グラムを超えないこと）</td><td>制限 0.8〜1.0グラム（標準体重1キロ当たり）</td><td colspan="3">制限 0.6〜0.8グラム（標準体重1キロ当たり）</td></tr>
<tr><td>エネルギー</td><td colspan="6">摂取エネルギー／日＝標準体重×25〜35キロカロリー</td></tr>
<tr><td>カリウム</td><td colspan="3">制限なし</td><td>制限 2,000ミリグラム以下／日（高カリウム血症の場合）</td><td colspan="2">制限 1,500ミリグラム以下／日（高カリウム血症の場合）</td></tr>
<tr><td rowspan="2">リン</td><td colspan="6">正常範囲を保つ</td></tr>
<tr><td></td><td></td><td></td><td></td><td></td><td>高リン血症があれば 制限</td></tr>
<tr><td>水分</td><td></td><td></td><td></td><td></td><td></td><td>人工透析導入後は 制限</td></tr>
</table>

（日本腎臓学会『慢性腎臓病に対する食事療法基準2014』）

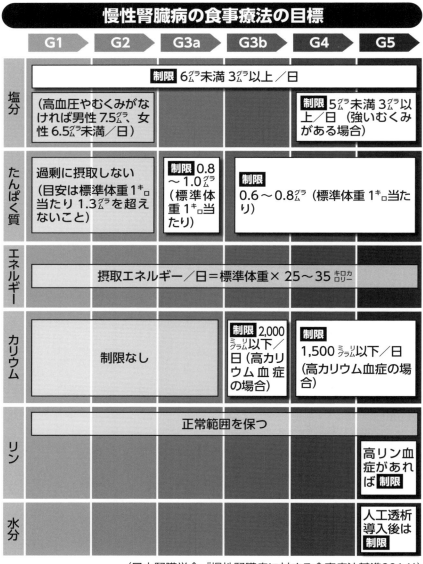

ステージG3以上の人はカリウムとリンに注意が必要で、高含有食品をさけ「ゆで料理」をとれば大丈夫

ステージG3以上になると、高カリウム血症になるリスクが高まります。腎《じん》機能の低下によって十分に排泄《はいせつ》できなかったカリウムが体内にたまって起こる電解質異常の一種で、重度になれば不整脈や心停止に至ることもあります。そのため、ステージG3b以上で高カリウム血症があれば、カリウムが制限されます。

カリウムは果物、野菜、イモ類、赤身の肉などに多く含まれます。ただ、これらの食品には健康を保つために必要なビタミンや食物繊維、ミネラルなども多く含まれ、食べないわけにはいきません。そこで、調理法を工夫しましょう。カリウムは水に溶けやすい物質です。食材を刻んで細胞膜を壊したうえで水にさらしたり、ゆでて汁を捨てたりすると、大幅に減らすことができます。

カリウムと同様に、リンにも注意が必要です。リンが十分に排泄できず体内にたまり高リン血症になると、副甲状腺《ふくこうじょうせん》ホルモンの分泌《ぶんぴつ》が盛んになって骨からカルシウムが流出しやすくなり、骨粗鬆症《こつそしょう》の原因になります。また、リンとカルシウ

ムが結合したものが血管の壁に沈着して石灰化すれば動脈硬化となり、さらなる腎機能の低下や心血管病（心筋梗塞《こうそく》・脳卒中など）などにつながります。

リンの制限が始まるのはステージG5や、透析中の患者さんで高リン血症の人ですが、それ以前でも、リンは「うっかり摂取」に注意が必要です。

リンはたんぱく質の多い食材（肉・魚・卵・乳製品など）に多く含まれ、たんぱく質をとりすぎると、知らないうちにリンの摂取量も増えてしまうのです。

また、加工食品（ハム・ソーセージ、インスタント食品など）に含まれる食品添加物（リン酸塩）由来の無機リンは、天然の食材に含まれる有機リンよりも腸から吸収されやすいといわれています。知らないうちにリンをとりすぎないよう、たんぱく質の摂取量を守るとともに、リン酸塩が含まれる加工食品はなるべくさけるようにしましょう。

リンもカリウムと同様、水にさらしたり、ゆでたりする調理法で減らすことができます。

調理方法によるカリウムとリンの変化*

	カリウム		リン	
	生	**ゆで**	生	**ゆで**
キャベツ	200	**92**	27	**20**
ハクサイ	220	**160**	33	**33**
ダイコン	230	**210**	17	**14**
ホウレンソウ	690	**490**	47	**43**
ジャガイモ	410	**340**	47	**32**
	焼き	**ゆで**	焼き	**ゆで**
鶏モモ（皮つき）	390	**210**	230	**160**
牛モモ（和牛）	350	**120**	190	**120**
豚モモ	450	**200**	270	**190**

（可食部100グラム当たり／単位：ミリグラム）

＊文部科学省「食品成分データベース」をもとに作成

透析中の運動

第8章

透析中の患者さんも腎臓リハビリはぜひ試すべきで、寝たままできる軽運動で足腰の筋力が強まり長生きにつながる

腎臓リハビリは人工透析中の患者さんにも有効で、酸素摂取量が25％増え衰えがちな足腰の筋肉も増強

人工透析中の患者さんの身体機能は、同年代の人の7割以下に落ちているといわれています。とりわけ高齢の患者さんでは、運動機能が半分くらいにまで低下しているといわれています。透析中の患者さんの平均年齢が70・42歳という現状（2019年「わが国の慢性透析療法の現況」日本透析医学会）からも、体力の維持・向上が急務でしょう。ただし、安静にしていては体力は低下するいっぽうです。体力アップを図るためには、透析中の患者さんにも運動が必要です。

ところが、透析の当日は、体内に老廃物が蓄積しており、体のだるさがピークに達している人が少なくありません。そのせいもあり、患者さん自身も「運動などとても無理だ」と感じる人が多いようです。しかし、透析中の患者さんが適度な運動療法を行うことで、体力の指標である最高酸素摂取量*が25％も増えたという試験結果があります。運動によって取り込んだ酸素をたくさん利用できるようになれば、心臓の機能が高まって透析の効率がよくなり、患者さんの負担が軽く

＊ 最高酸素摂取量＝体の中で使うことができる酸素の量が最大どれくらいあるかを示す数値。92ページ参照。Smart N, Steele M: Exercise training in haemodialysis patients: A systematic review and meta-analysis. *Nephrology* 16: 626-32, 2011.

なる効果があります。実際に、透析を受けながら腎臓リハビリの運動療法を実施して成果を上げている透析施設も多数あります。

高齢でもあきらめないで体を動かせば、体がちゃんと応えてくれます。腎臓リハビリは「こんなにらくな運動でいいの？」と思うほど軽いものですが、それでも足腰の筋肉量が増えます。体がスムーズに動くようになって、歩行がらくになります。「動ける」「歩ける」ということは、「自分の望む場所へ自分の体を移動させ、自分でしたいことができる」ということです。これは人間にとって生活の基本であり、生きる喜びでもあります。

次ページから、寝たままで簡単に試せる、腎臓リハビリのらくらく筋トレのやり方を紹介しています。できそうな運動を試してみてください。135ページ以降には、腎臓リハビリを実際に行って、すばらしい効果を得ている透析中の患者さんの症例を紹介します。

ただ、透析中の患者さんが腎臓リハビリの運動療法を行うさいは、高血圧や貧血などの合併症の影響を考慮する必要があるほか、透析の直後はさけて透析中の前半に運動を行うなど、いくつか注意点があるので、主治医に相談してから始めるようにしましょう。

透析患者の運動療法の注意点

- 必ず主治医に相談してから始める
- 透析の直後はさけ、透析中の運動は透析をしている時間の前半に行う
- 透析で疲れている場合は無理をせず、透析のない日に運動する

人工透析中も市販のゴムバンドを使えばらくらく筋トレができ、簡単で効果が大きいのはこの3種

人工透析中の筋トレの注意

事前に医師に相談のうえ行い、
強度や回数などは医師の指示に従うこと。

強度により
赤、青、黄色など
色別になっているものの例

ゴムバンドの負荷の強さにはさまざまな段階があるので、自分に合ったレベルのものを選ぶ。

1 腰の深部を鍛える

腰の深部にある腸腰筋を鍛える。
体幹（体の胴体の部分）も鍛えられる。

❶ ゴムバンドを輪にして、両足のひざの上にかける。

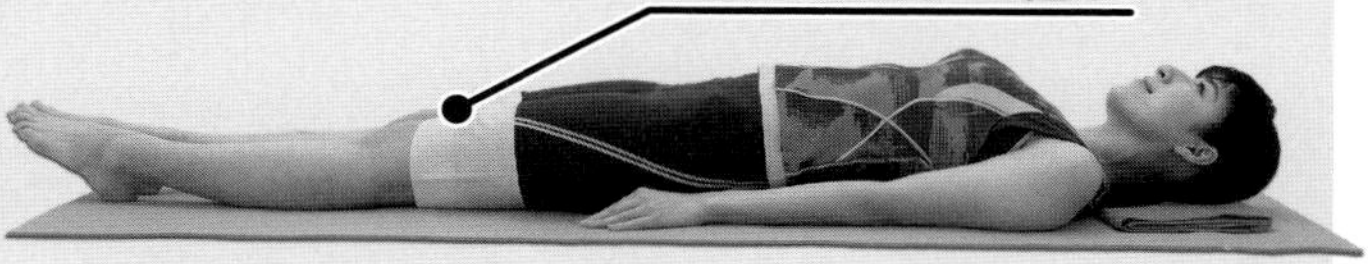

❷ 呼吸を止めないよう「ツー」といいながら、５秒かけて左ひざを曲げ、太ももが床と垂直になるくらいまで胸のほうへ引き寄せる。そのまま１秒キープ。

❸ 鼻から息を吸いながら、ゆっくりと❶の姿勢に戻る。右足も同様に行う。

ゴムバンドの代わりにアンクルウェイト（足首に着ける重り）を用いてもいい

▲ゴムバンドを活用した筋トレは、40 ～ 49ページの「らくらく筋トレ」の代わりに行ってもいい。

② 肩まわりを鍛える

肩まわりの筋肉を鍛える。

ゴムバンドの端を小指側に置いて手のひらに1周巻き、固く握る

❶ ゴムバンドをシャントのない側の足に結びつけ、同じ側の手で持つ。

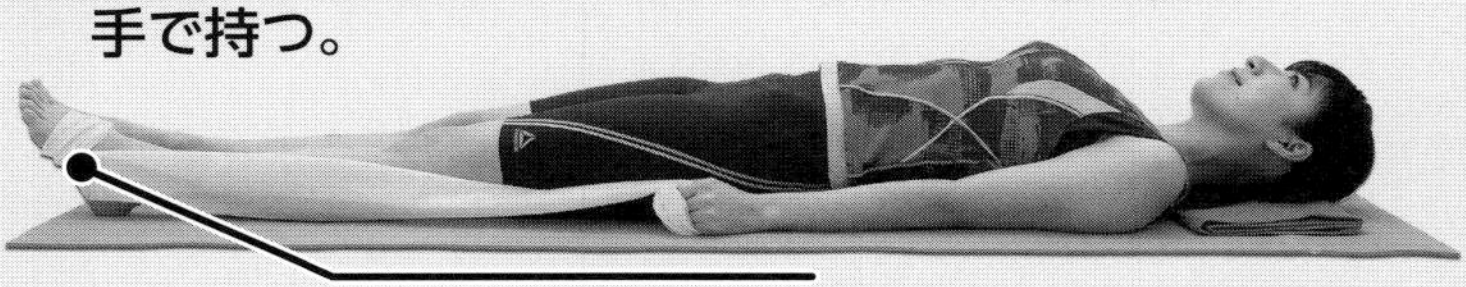

❷ 呼吸を止めないよう「ツー」といいながら、5秒かけて腕を床と垂直になるまで持ち上げる。

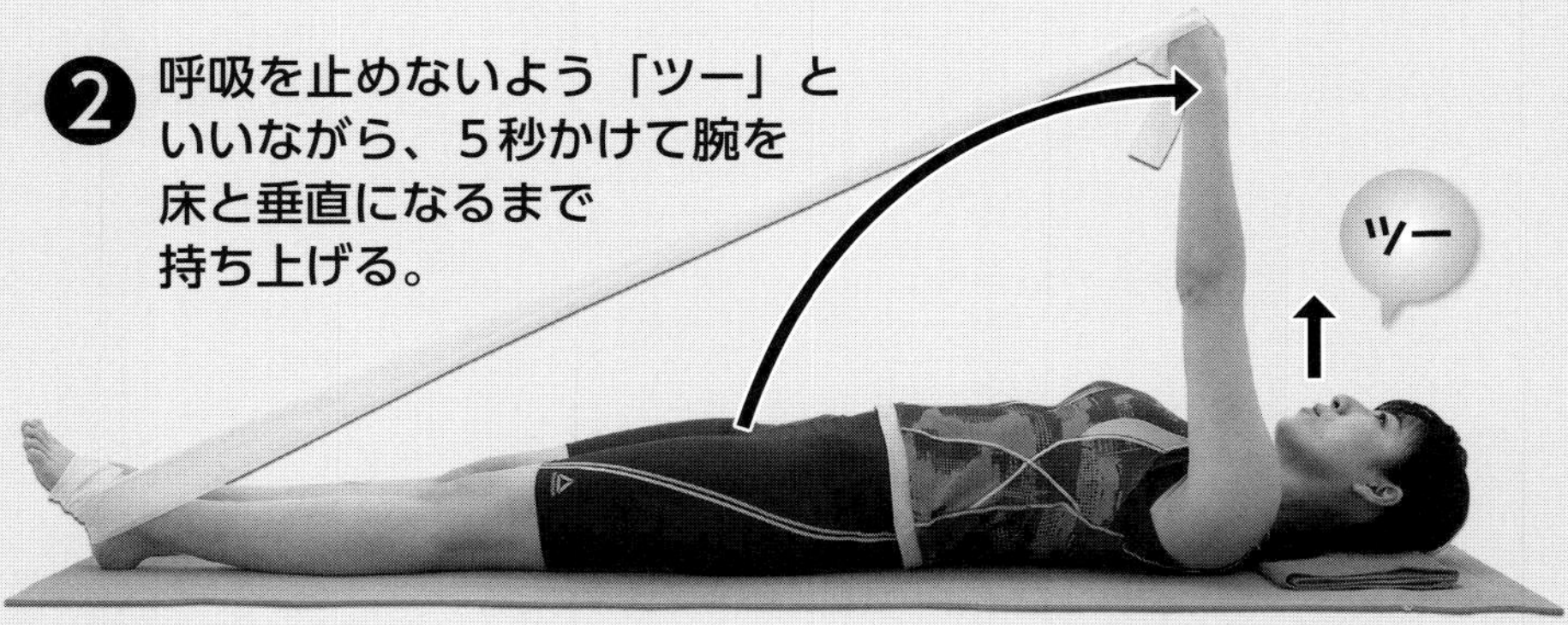

ひじを曲げたり、腕を体の横に伸ばしたりしてもいい

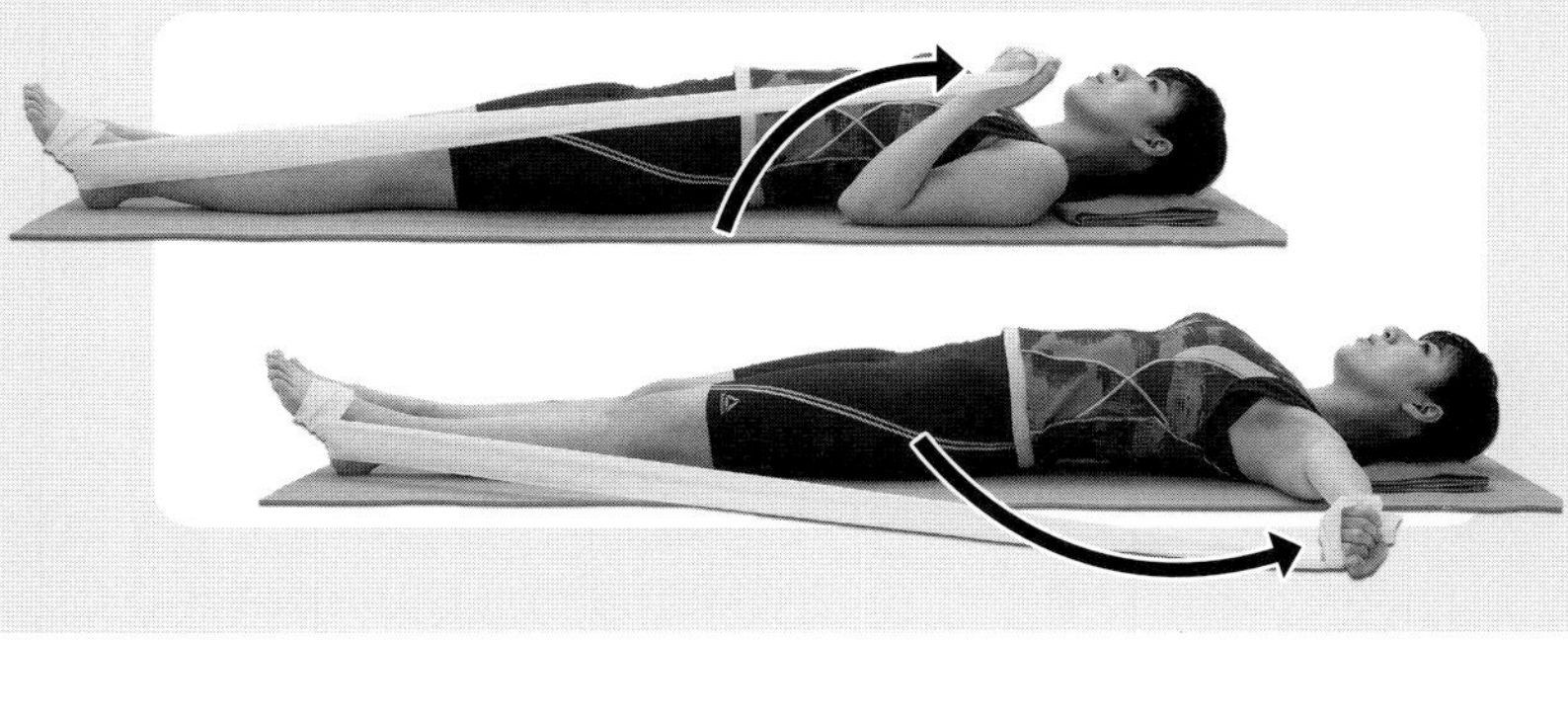

③ お尻・内ももを鍛える

お尻の外側の筋肉・内ももの筋肉を鍛える。

❶ ゴムバンドを輪にして、両足首にかける。

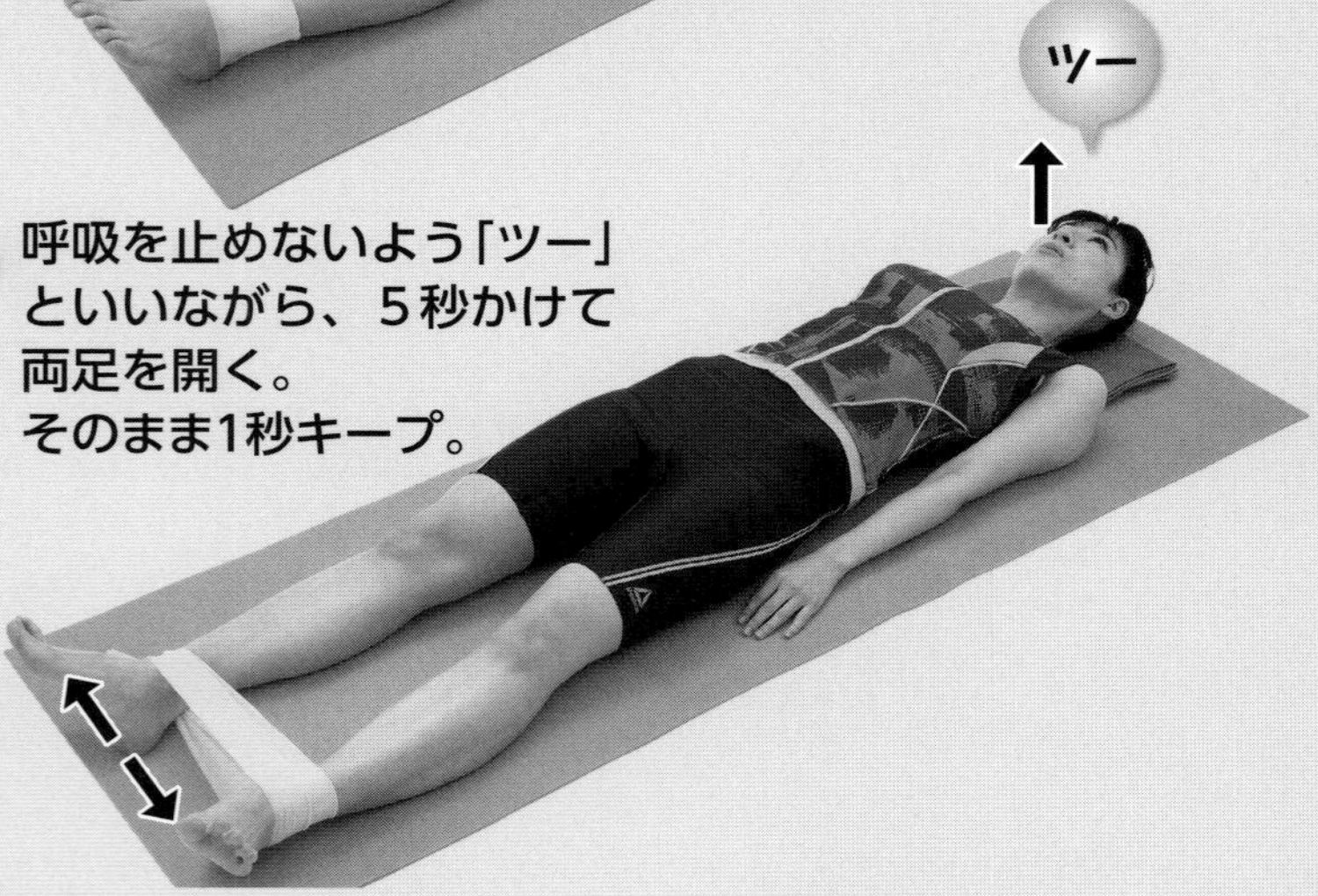

❷ 呼吸を止めないよう「ツー」といいながら、５秒かけて両足を開く。
そのまま1秒キープ。

❸ 鼻から息を吸いながら、ゆっくりと❶の姿勢に戻る。

足を開くさい、爪先とひざを外側へ回すように開いていくと、股関節の柔軟性を高める効果も得られる。また、深部筋肉も鍛えることができる。

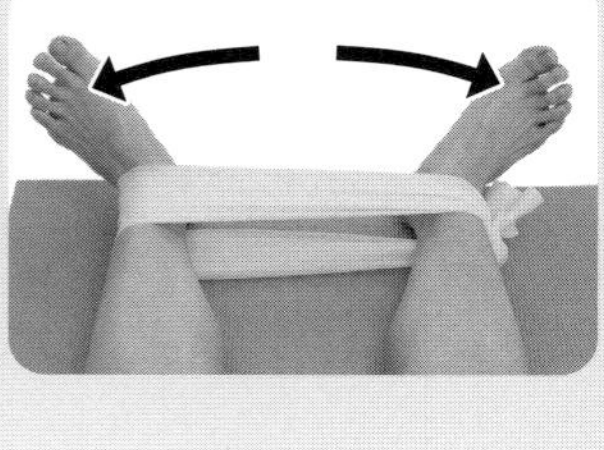

暴飲暴食から糖尿病性腎症→透析となったが、腎臓リハビリと出合って病状が安定し、心身が晴れ晴れ

今から20年以上前、当時40代だった笹本泰之《ささもとやすゆき》さん（69歳・仮名）は、仕事での接待が多く、酒席が夕食代わりという生活が毎晩のように続いていました。健康診断のたびに、医師から「血圧も血糖値も高いですね。それに、腎《じん》機能が低下しているから、このままではいつか人工透析になりますよ」と、生活習慣を見直すよう注意されていました。

しかし不規則な生活や食べすぎ・飲みすぎは、なかなか改められないままでした。そして、40代半ばを過ぎたころ、糖尿病と診断されたのです。

それから、月に1度のペースで通院が始まりました。これといった自覚症状がないせいか、なかなか節制することができないまま、50代を迎えました。当時の*ヘモグロビンA1cは7％台（6・5％あれば糖尿病型と診断される）でした。血圧も高く、最高／最低血圧が160／90ミリと、中等症（Ⅱ度）の高血圧でした。

ところが、笹本さんはこのころから、体のむくみや吐きけ、食欲不振、頭痛な

＊過去1～2ヵ月の血糖の状態を示す検査値。

ど、糖尿病性腎症の症状にも悩まされるようになってきたのです。自覚症状が現れて初めて危機感を抱いた笹本さんでしたが、その後も腎機能の低下は止められませんでした。

クレアチニン値は8・0、eGFR値が6、ステージG5となり、60代で人工透析を始めることになったのです。

笹本さんは「ついに透析か」とすっかり落ち込んでしまいました。

ただ、通っていた透析施設には、トレーニングルームが併設されていました。笹本さんはそこで、週3回の透析の前に、腎臓リハビリの運動療法（ウォーキングマシンとエアロバイクを使った運動を10分ずつ）をすることになったのです。

自宅でも運動を始めた

最初は「透析だけでも気が重いのに」とおっくうだったそうですが、運動開始から4週間たったころ、なんとなく以前より体調がよくなったことに気づきました。

「これはいい！」と腎臓リハビリの効果を実感した笹本さんは、自宅でも運動療法を始めました。毎朝30分のウォーキングと、腎臓リハビリの「らくらく筋トレ」（40ページ参照）も行うようになりました。

特にウォーキングは熱心に取り組むようになり、調子のいいときは気持ちよく1時間以上歩くこともあるほどになりました。また、自宅にウォーキングマシンを設置して、歩き足りない日は屋内でのウォーキングもしているそうです。

運動で変わったのは体調だけではありません。透析を始めてあれほど落ち込んでいたのに、心まで晴れ晴れとしてきたのです。気持ちが明るくなると、食事療法にも前向きに取り組めるようになってきます。そのかいあって、現在はヘモグロビンA1cは5・5％に下がり、血圧も最高／最低血圧が120〜130／70ミリ程度で安定し、問題ない範囲に落ち着きました。

糖尿病の治療を怠り生活改善をおろそかにしていると、糖尿病性腎症を招き、人工透析に移行するケースは少なくありません。しかし、透析になったからといってあきらめないでください。適切な食事療法を行い、血糖値・血圧をコントロールすれば、腎機能の低下をゆるやかにすることは可能です。

笹本さんの例のように、腎臓リハビリの運動療法は糖尿病の改善にも役立ちます。そして、運動で筋力がつくにつれて気持ちが明るくなり、治療に前向きに取り組むことができるようになって、腎機能の改善も期待できるのです。

透析仲間と励まし合いながら楽しく腎臓リハビリを続けたら、透析に自転車で通うほどの体力が戻った

富岡純一《とみおかじゅんいち》さん（72歳・仮名）の透析歴は25年と長く、週3回の透析に自転車で通っています。「自転車で透析に行く」というと、事情を知らない人はビックリするそうです。透析後は起立性低血圧*からめまいを起こしたり疲れたりして、ふらつく人もいるので、誰にでも自転車での通院をおすすめすることはできませんが、富岡さんのハツラツとした元気さを物語るエピソードだと思います。

富岡さんが**多発性嚢胞腎《のうほうじん》**（76ページ参照）と診断されたのは40歳になる少し前のことでした。国の難病に指定されている遺伝性の病気で、発症すれば70歳までに約半数の人が人工透析になるといわれています。富岡さんも診断時に医師からその旨を告げられ、実際、**40代半ばにステージG5となり、透析導入**となりました。

当初は自宅で腹膜透析を始めました。腹膜透析は自宅で自分の腹膜（おなかの内部で内臓を覆っている膜）を透析膜代わりにして透析を行う方法で、通院の必要がないなどのメリットはありますが、管理が難しい点もあり、富岡さんも状態

＊ 急に起き上がったときなどに血圧が低下して起こる軽い意識障害（立ちくらみ）。重症になるとめまいや吐きけなどが長く続いたり、意識を失ったりすることもある。

が悪化したため、8年めに透析施設での人工透析に切り替えました。

週3回の透析に通ううち、富岡さんは「腎臓リハビリの運動療法がいい」という話を耳にします。そこで、なんとか腎機能の低下を食い止めたいと、自宅にウォーキングマシンなどの運動器具を買いそろえました。ところが、もともと運動が好きではなかったせいか、三日坊主になってしまったそうです。

60代になったころ、通っていた透析施設に、腎臓リハビリの運動療法用のトレーニングルームが新設されました。運動したい気持ちはあるのに続かないことに悩んでいた富岡さんは、定期的に行く場所で指導を受ければ運動習慣が身につくかもしれないと考え、通ってみることにしました。

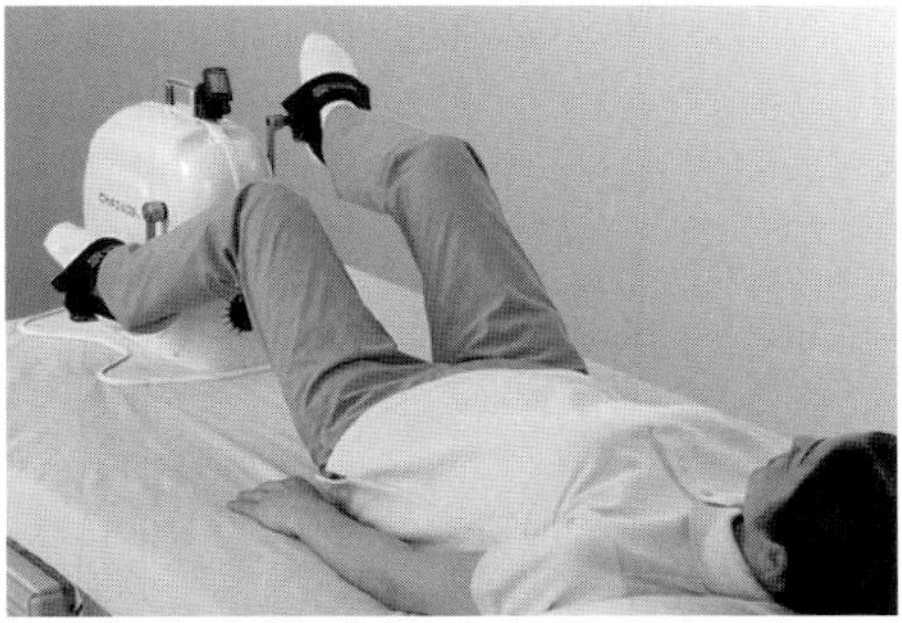
透析中も寝たままペダルこぎ運動ができる「エルゴメータ」

週3回の透析前にトレーニングルームへ行き、ウォーキングマシンとエアロバイクで各10～15分程度、ゆっくりした運動を行うことになりました。さらに、透析中の前半1時間は、エルゴメータという器具を使って寝たままできるペダルこぎに当てるようになり、自宅でも、気が向いたときには「らくらく筋トレ」（序章参照）を行うようになったそうです。

すると、運動を始めて6週間たったころから、高かった血圧がだんだん安定してきたのです。今では、降圧薬の服用量を大幅に減らすことができるようになりました。さらにうれしいことに、**透析に自転車で通えるほどの活力が戻ってきたのです。**

それだけではありません。トレーニングルームでの腎臓リハビリの時間は、富岡さんに思わぬ効果をもたらしました。そこで会う人たちと自然に言葉を交わすようになり、互いに励まし合いながら運動する仲間ができたのです。

透析に通ってただ安静にしているだけでは、どうしても孤独になりがちです。

仲間と行う運動が楽しみに

ともに運動する仲間がいれば、会話が生まれ、リラックスして運動に取り組むことができて、運動を続けるためにもいい効果があります。富岡さんは、仲間ができたことで週3回の通院が苦にならなくなったばかりか、あまり好きではなかった運動が、今では楽しみになっているそうです。

Q&A

第9章

指導はどこで受けられる？
IgA腎症にも有効？
高齢者にも効果はある？ など

腎臓リハビリQ&A

Q 担当医が運動療法にくわしくないようです。どうすればいいでしょうか？

現在では、eGFRの値が45未満の糖尿病性腎《じん》症の患者さんに対する腎臓リハビリの運動指導には、健康保険が適用されるようになっています。慢性腎臓病に対する運動療法の効果は、国に正式に認められているのです。

しかし、担当医が腎臓病の専門医でない場合などは、慢性腎臓病の最新ガイドラインを見ていなかったり、いまだに「慢性腎臓病の患者は運動してはいけない」という認識を持っていたりする可能性もあります。

そんなときは、本書を持参し、医師に運動療法を試したいと伝えて相談してみるか、「日本腎臓リハビリテーション学会」のホームページ（https://jsrr.jimdofree.com/）を参照して腎臓リハビリを実施している医療機関を受診してみるといいでしょう。

スマートフォンで読み取ると日本腎臓リハビリテーション学会のホームページにアクセスできます。

Q 腎臓リハビリの指導は、どこで受けられますか?

慢性腎臓病の病状や合併症（高血圧や糖尿病など）によっては、運動療法を控えたほうがいい場合（98ページ参照）や、事前に運動負荷試験（実際に運動を行い、心拍数や血圧の変動などを調べる試験）を行って適切な運動の種類や強度を調べる必要がある場合もあります。

自分の体力や病状を確認したうえで腎臓リハビリを指導してもらいたい場合は、「日本腎臓リハビリテーション学会」のホームページ（https://jsrr.jimdofree.com/）で「施設会員リスト」を確認して、近くの医療機関を見つけてください。

Q IgA腎症と診断されています。運動療法を試してもいいでしょうか?

ＩｇＡ《アイジーエー》腎症は慢性糸球体腎炎の一種で、腎臓の糸球体に炎症が起こり、腎機能が低下していく病気で、国の指定難病となっています（75ページ参照）。

ＩｇＡ腎症を含む慢性糸球体腎炎の場合、*軽い運動後に尿たんぱくが増加しても一過性であり、尿たんぱくが増加したり、腎機能が低下したりすることはない

＊「腎臓リハビリテーションガイドライン」（日本腎臓リハビリテーション学会）

ため、一律に運動制限する必要はないとされています。ただ、尿たんぱくが大量に出ている状態で運動療法が有効かどうかはまだ明らかになっていません。運動療法を試す前に、担当医に相談して判断を仰いだほうがいいでしょう。

同様に、ネフローゼ症候群やループス腎炎、多発性嚢胞《のうほう》腎（76ジペー参照）などの場合も、特に運動を制限する必要はありませんが、運動療法を試す前には担当医に相談しましょう。

Q なかなか運動をする時間が取れません。どうすればいいでしょうか？

「運動を生活の一部にする」、あるいは「日常の生活動作を運動にする」工夫をしてみましょう。

例えば、買い物に行くときにほんの少しだけ回り道をしたり、近くへ外出するときはなるべく車を使わないようにしたり、タクシーやバスなどを利用するさいは、目的地の少し手前で降りて歩くようにしたりすることで、ウォーキングができます。たとえほんの数分でも、積み重ね

ば、1日のウォーキング時間を20分、30分と増やすことは可能です。

屋内なら、起床時に寝たままできる「腎臓活性ストレッチ」（17ページ）を1つやったり、食事や休憩でイスに座るとき、ついでに、座ったままできるストレッチや「ばんざい」の体操（36ページ）を必ずやると決めておいたりすれば、まとまった時間が取れなくても運動することができます。

Q 高齢者が筋トレをしても、筋肉はつかないのではないですか？

慢性腎臓病の患者さんが「運動で筋肉をつける」といっても、ボディビルダーのような筋肉をめざすわけではありません。らくに日常動作ができる程度の筋力があれば、腎機能やＱＯＬ（生活の質）の改善をめざすには十分です。

確かに、筋肉量は年齢とともに減少しやすくなります。しかし、適度な運動を行うだけで、高齢でも筋肉を増やすことは可能です。高齢者が軽い筋トレを行った結果、筋力が向上し、筋肉量が増えたという研究・調査報告は多数あります。

年齢に関係なく、筋肉を増やすには運動が必要です。運動によって刺激を受けた筋肉の筋線維（筋肉を構成する線維状の細長い細胞）の一部が傷つきます。傷ついた筋線維は、運動を終えて筋肉を休めている間に修復されますが、このとき以前よりも少し太くなり、筋肉が増え、強くなるのです。「らくらく筋トレ」（40ページ）の同じ種目を毎日続けて行わないようにするのも、休む時間を作って、その間に筋肉を増やすためです。

ほんの少し運動をすれば腎機能が改善し、らくになるチャンスがあるのに、「高齢だから」とあきらめてしまっては、もったいないことです。

Q 腰が痛くて体操やウォーキングができません。運動療法は無理ですか？

腰に痛みがあって長く歩けなかったり、立って体操するとつらい場合は、まずは寝たまま、座ったままでできる「腎臓活性1分ストレッチ」（17ページ）から始めてみましょう。腰に負担をかけずに運動することができます。

慣れてきたら、片足で立つ動作がある「足上げ（ダイナミックフラミンゴ）」（32ページ）がおすすめです。イスや手すりなどにしっかりつかまって行うので、腰に不安があっても取り組みやすい体操です。

この運動は、立ったときに体を支える足腰の筋肉を鍛えるとともに、骨を丈夫にする効果があることが特徴です。[*]片足を上げて1分立つと、なんと、約53分歩いたのと同じくらい足のつけ根の骨（大腿《だいたい》骨骨頭）を丈夫にする効果があるとされています。足を後ろへ動かすのがつらい場合は、最初は片足を持ち上げるだけでもいいのです。できる範囲で試してみましょう。

Q 腹膜透析中でも、運動療法を試していいでしょうか？

基本的には運動療法を行ってもかまいませんが、腹膜透析中の患者さんも、施設に通って行う人工透析（血液透析）の患者さんと同様、高血圧や貧血などの合併症の影響を考慮する必要があるので、運動療法を始める前には、主治医に相談するようにしましょう。

腹膜透析は、自分の腹膜（おなかの内部で内臓を覆っている膜）を透析膜代わりに自分で透析を行う方法です。透析液を腹腔《ふくくう》内に数時間ためておく必要があり、その間に運動をすると透析液がゆれて、不快感を覚える場合もあります。その場合は、透析液を除去してから運動するようにします。

＊田代善久，阪本桂造：大腿骨頸部骨折予防に向けての片脚立ちの効果．日骨形態計測会誌 13: 21-26, 2003

腎臓リハビリ運動記録表　＊コピーしてお使いください。

月		日付							
		曜日							
体重（キロ）									
起床時	血圧（ミリ）	最高							
		最低							
	心拍数（拍／分）								
就寝前	血圧（ミリ）	最高							
		最低							
	心拍数（拍／分）								
薬の服用	朝								
	昼								
	夜								
腎臓活性ストレッチ									
腎臓体操									
腎臓活性ウォーキング（歩数）									
らくらく筋トレ	壁プッシュ								
	背筋そらし								
	レッグレイズ								
	バックキック								
	バックブリッジ								
その他									

腎臓リハビリ運動記録表（記入例）

3月	日付	15	16	17	18	19	20	21
	曜日	月	火	水	木	金	土	日
体重（キロ）		62.5	62.5	62.0	62.5	62.0	62.5	63.0
起床時	血圧（ミリ） 最高	122	120	120	125	120	123	126
	血圧（ミリ） 最低	82	80	79	83	80	82	84
	心拍数（拍／分）	70	69	68	73	74	72	75
就寝前	血圧（ミリ） 最高	115	118	120	123	114	119	122
	血圧（ミリ） 最低	78	76	77	78	75	74	84
	心拍数（拍／分）	68	67	68	70	69	72	75
薬の服用	朝	○	○	○	○	○	○	○
	昼	○	○	○	○	○	○	○
	夜	○	○	○	○	○	○	○
腎臓活性ストレッチ		○	○	○		○	○	
腎臓体操			○		○		○	
腎臓活性ウォーキング（歩数）		4523	4782	5030		5185	5325	
らくらく筋トレ	壁プッシュ	○						
	背筋そらし		○			○		
	レッグレイズ	○				○		
	バックキック		○					
	バックブリッジ			○			○	
その他				塩分が多かった	食べすぎた			夜外食、カロリーオーバー

あなたの不調、癒します!

250万部突破! 文響社の健康書シリーズ

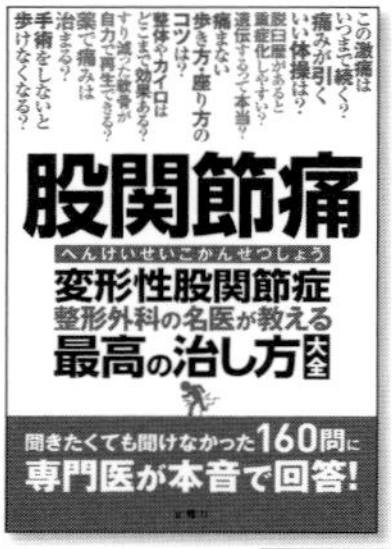

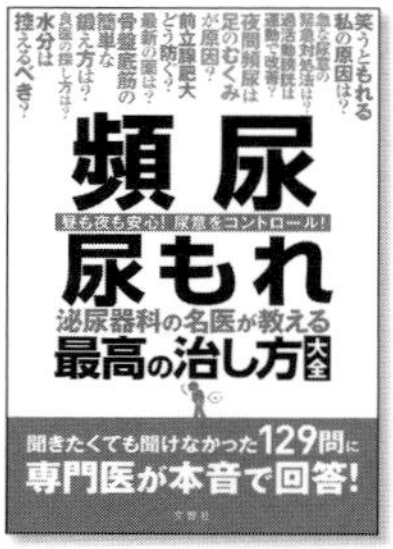

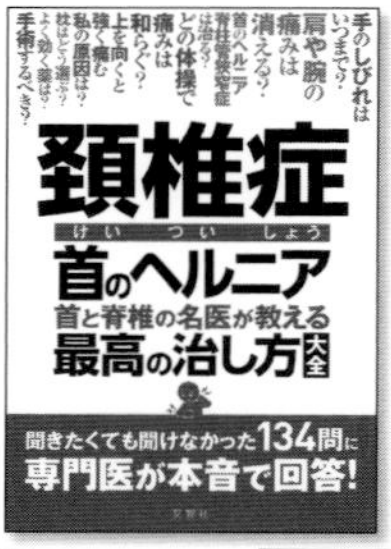

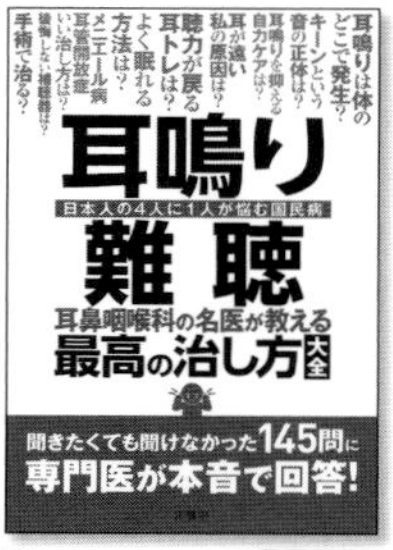

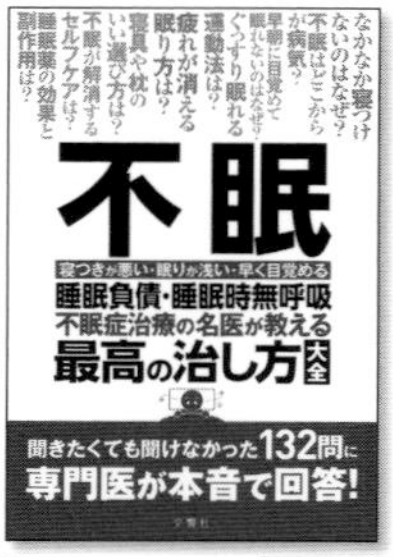

著者紹介

上月正博《こうづきまさひろ》

東北大学名誉教授
山形県立保健医療大学理事長・学長

1981年東北大学医学部卒業。2000年東北大学大学院内部障害学分野教授、2002年東北大学病院リハビリテーション部長(併任)、2008年同障害科学専攻長（併任）、2010年同先進統合腎臓科学教授（併任）、2022年東北大学名誉教授、山形県立保健医療大学理事長・学長。日本腎臓リハビリテーション学会理事長、国際腎臓リハビリテーション学会理事長、日本リハビリテーション医学会副理事長などを歴任。医学博士。日本腎臓学会評議員、腎臓専門医。リハビリテーション科専門医。総合内科専門医。高血圧専門医。『腎臓リハビリテーションガイドライン』（南江堂）など著書・監修書多数。2018年には腎臓リハビリテーションの功績が認められ、心臓や腎臓の分野の研究に貢献した科学者に贈られる国際的に名誉ある賞「ハンス・セリエメダル」、2022年には「日本腎臓財団功労賞」を受賞。

腎機能自力で強化！
腎臓の名医が教える
最新1分体操大全

2021年3月16日　第1刷発行
2023年2月7日　第16刷発行

著　　者　上月正博
編 集 人　飯塚晃敏
編　　集　わかさ出版
編集協力　酒井祐次　瀧原淳子（マナ・コムレード）
装　　丁　下村成子
本文デザイン　マナ・コムレード
イラスト　前田達彦
撮　　影　文田信基（fort）
モ デ ル　西　千春
発 行 人　山本周嗣
発 行 所　株式会社文響社
〒105-0001　東京都港区虎ノ門2丁目2－5
共同通信会館9階
ホームページ　https://bunkyosha.com
お問い合わせ　info@bunkyosha.com
印刷・製本　中央精版印刷株式会社

ISBN 978-4-86651-350-8

本書は専門家の監修のもと安全性に配慮して編集していますが、本書の内容を実践して万が一体調が悪化する場合は、すぐに中止して医師にご相談ください。また、疾患の状態には個人差があり、本書の内容がすべての人に当てはまるわけではないことをご承知おきのうえご覧ください。